Tout en couleurs

Poche
Visuel
Internet
et le Web

Une collection

3-D Visuel

de

First
Interactive

D0967349

IDG
BOOKS
WORLDWIDE

maranGraphics™

Internet et le Web Poche Visuel

Publié par
IDG Books Worldwide, Inc.
Une société de International Data Group
919 E. Hillsdale Blvd., Suite 400
Foster City, CA 94404

Édition française publiée en accord avec IDG Books Worldwide par :

  Éditions First Interactive
  13-15 rue Buffon
  75005 PARIS – France
  Tél. 01 55 43 25 25
  Fax 01 55 43 25 20
  Minitel : 3615 AC3*F1RST
  E-mail : firstinfo@efirst.com
  Web : www.efirst.com

ISBN : 2-84427-025-5
Dépôt légal : 4ᵉ trimestre 1998

Richard Maran est le fondateur de la société et son principal concepteur. Depuis plus de 20 ans, il met en œuvre sa vision d'une communication plus efficace fondée sur la fusion entre le texte et l'image, permettant aux lecteurs de saisir instantanément les concepts exposés.

Ruth Maran est à la fois l'auteur et l'architecte des ouvrages, un rôle défini par Richard, mais sur lequel elle a aujourd'hui imposé sa marque. Ruth crée la structure textuelle et visuelle qui sert de base aux ouvrages.

Judy Maran est responsable de la publication. Elle travaille en collaboration avec Ruth, Richard et la très talentueuse équipe maranGraphics, composée d'illustrateurs, de graphistes et de rédacteurs.

Rob Maran est l'expert technique et le chargé de production. Il s'assure que la technologie de pointe utilisée pour la réalisation des ouvrages fonctionne toujours de manière satisfaisante.

Sherry Maran est responsable de l'accueil, du service des commandes et de nombre de domaines exigeant une disponibilité et une efficacité immédiate.

Jill Maran est le joker de la maison et son moteur de secours, intervenant là où on a besoin d'elle dès que ses études lui en laissent le temps.

Maxine Maran dirige l'entreprise et représente le sage de la famille. Garante de l'ordre aussi bien dans le domaine professionnel que familial, elle s'assure que tout fonctionne de manière harmonieuse.

Auteur
Ruth Maran

Adaptation française
Pierre Brandeis
Bruno Charité
Stéphane Monnier

Collection dirigée par :
Pierre Auchatraire

TABLE DES MATIÈRES

TABLE DES MATIÈRES

PRÉSENTATION D'INTERNET

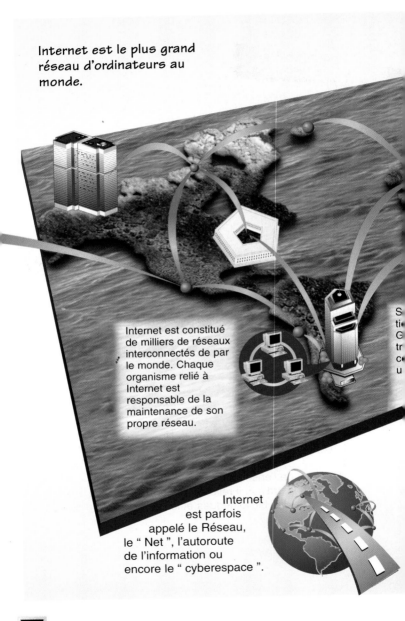

Internet est le plus grand réseau d'ordinateurs au monde.

Internet est constitué de milliers de réseaux interconnectés de par le monde. Chaque organisme relié à Internet est responsable de la maintenance de son propre réseau.

Internet est parfois appelé le Réseau, le " Net ", l'autoroute de l'information ou encore le " cyberespace ".

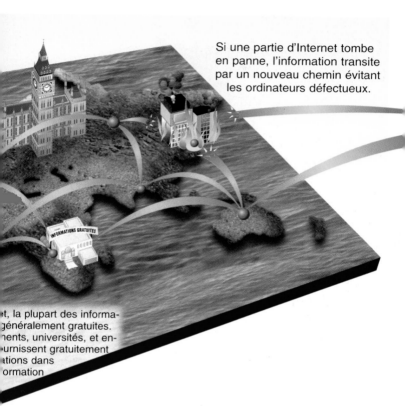

Si une partie d'Internet tombe en panne, l'information transite par un nouveau chemin évitant les ordinateurs défectueux.

INFORMATIONS GRATUITES

...t, la plupart des informa-
...généralement gratuites.
...nents, universités, et en-
...urnissent gratuitement
...ations dans
...ormation

Internet fut créé à la fin des années soixante par le ministère américain de la Défense. Ce réseau se développa rapidement, et des scientifiques, des chercheurs de l'ensemble des États-Unis purent y accéder. Aujourd'hui, il relie également des écoles, des entreprises, des bibliothèques et les particuliers du monde entier.

Informations

Internet vous donne accès à des informations concernant toutes sortes de sujets imaginables. Vous pouvez consulter entre autres : des journaux, des magazines, des documents universitaires ou gouvernementaux, des retranscriptions d'émissions de télévision, des discours célèbres, des recettes, des offres d'emploi, des horaires d'avion.

Courrier électronique

La fonction la plus utilisée sur Internet est l'échange de courrier électronique *(e-mail).* Avec des personnes du monde entier, des amis, des collègues, des membres de votre famille, des clients, voire même des personnes que vous rencontrez sur Internet, vous pouvez échanger du courrier électronique. Ce mode de communication est rapide, simple, peu coûteux, et il économise le papier.

Programmes

Des milliers de programmes sont disponibles sur Internet. On trouve, entres autres, des traitements de texte, des tableurs, des programmes utilitaires, des jeux.

UTILISATIONS D'INTERNET

Groupes de discussion

Sur Internet, vous pouvez rejoindre des groupes de discussion pour rencontrer des personnes avec qui vous partagez des centres d'intérêt. Vous posez des questions, discutez de problèmes et lisez des histoires passionnantes.

Il existe des milliers de groupes de discussion sur des sujets tels que l'environnement, l'alimentation, l'humour, la musique, les animaux domestiques, la photographie, la politique, la religion, le sport, la télévision.

Divertissement

Des milliers de programmes de jeux sont disponibles
gratuitement sur Internet, par exemple, des jeux de
backgammon, d'échecs, de poker, de football.

Avec Internet, vous accédez aux critiques
de l'actualité cinématographique, écoutez le générique
d'émissions de télévision célèbres, lisez les scénarios de
film et entretenez des conversations interactives avec des
personnes du monde entier, même des célébrités.

Acheter en ligne

Sans quitter votre bureau, vous avez la
possibilité de commander des produits
et des services sur Internet. Vous
trouvez des articles tels que des livres,
des programmes informatiques, des
fleurs, des CD audio, des pizzas, des
voitures d'occasion.

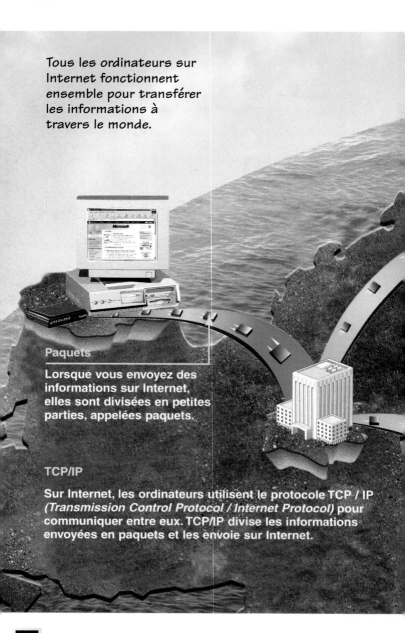

Tous les ordinateurs sur Internet fonctionnent ensemble pour transférer les informations à travers le monde.

Paquets

Lorsque vous envoyez des informations sur Internet, elles sont divisées en petites parties, appelées paquets.

TCP/IP

Sur Internet, les ordinateurs utilisent le protocole TCP / IP *(Transmission Control Protocol / Internet Protocol)* pour communiquer entre eux. TCP/IP divise les informations envoyées en paquets et les envoie sur Internet.

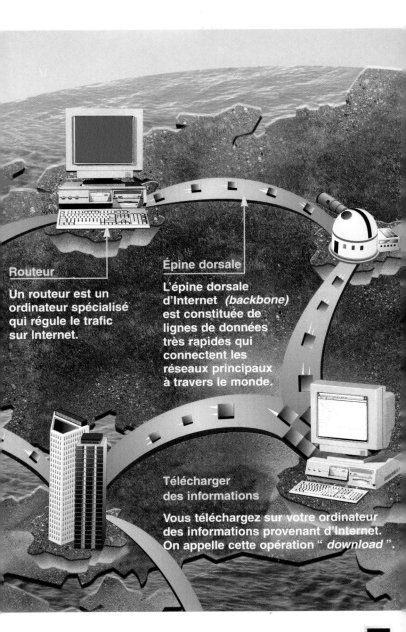

Routeur

Un routeur est un ordinateur spécialisé qui régule le trafic sur Internet.

Épine dorsale

L'épine dorsale d'Internet *(backbone)* est constituée de lignes de données très rapides qui connectent les réseaux principaux à travers le monde.

Télécharger des informations

Vous téléchargez sur votre ordinateur des informations provenant d'Internet. On appelle cette opération " *download* ".

SE CONNECTER

Vous avez besoin de matériels
et de logiciels spécifiques pour
vous connecter à Internet.

Ordinateur

Vous pouvez utiliser n'importe
quel type d'ordinateur, tel qu'un
compatible IBM ou un Macintosh,
pour vous connecter à Internet.

Modem

Un modem est nécessaire pour
vous connecter à Internet. Vous
devez choisir au moins un modem
à 33,6 Kbps, toutefois un modem
à 56 Kbps est recommandé.

Programmes

Vous avez besoin de programmes
spéciaux pour utiliser Internet.
La plupart des sociétés qui vous
connectent à Internet fournissent ces
programmes gratuitement.

SE CONNECTER

Un fournisseur de services
Internet (ISP) est une société
auprès de laquelle vous
prenez un abonnement pour
accéder à Internet.

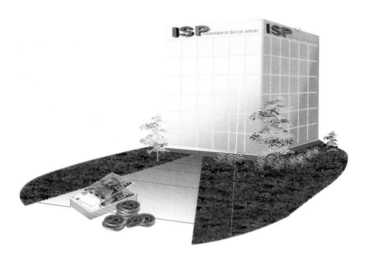

Coût

De nombreux fournisseurs de services offrent un
abonnement avec un nombre d'heures de connexion
limité par mois ou par jour. Si vous le dépassez, vous
supportez un coût pour les heures supplémentaires.

Certains fournisseurs proposent des abonnements avec
des accès illimités. Assurez-vous qu'il n'existe pas de
charges ou de restrictions cachées.

Un fournisseur de services en ligne est une société qui propose un abonnement à de nombreuses sources d'informations et un accès à Internet.

Les fournisseurs de services en ligne parmi les plus connus sont America Online (AOL) et The Microsoft Network.

Coût

La plupart des fournisseurs de services en ligne vous permettent d'essayer gratuitement leurs services pendant une durée de temps limitée. Après cette période d'essai, vous vous abonnez pour un nombre d'heures limité dans le mois ou par jour. Si vous dépassez le quota d'heures, vous payez un supplément pour chaque heure d'utilisation.

Certains services en ligne proposent un abonnement avec un accès illimité à leurs services et à Internet.

Le World Wide Web est une partie
d'Internet. Il est constitué de
nombreux documents stockés
sur des ordinateurs éparpillés
dans le monde entier.

Le *World Wide Web* s'appelle
également le Web ou WWW.

**Sites Web
fréquentés**

Certains sites Web
sont célèbres et
donc surchargés.Vous
trouverez peut-être
que les informations
prennent du temps pour
s'afficher sur un tel site.
Si c'est trop long, essayez de
vous connecter à un autre moment.

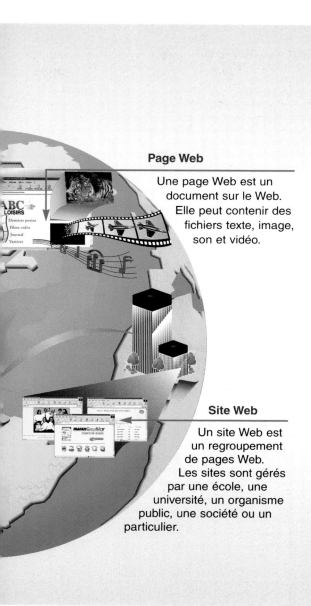

Page Web

Une page Web est un document sur le Web. Elle peut contenir des fichiers texte, image, son et vidéo.

Site Web

Un site Web est un regroupement de pages Web. Les sites sont gérés par une école, une université, un organisme public, une société ou un particulier.

Chaque page Web possède une
adresse unique appelée URL
(Uniform Resource Locator).
Vous affichez instantanément
n'importe quelle page Web en
connaissant son adresse.

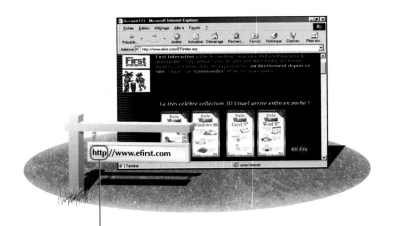

■ Toutes les adresses des pages
Web *(URL)* commencent par http
(HyperText Transfer Protocol).

HYPERTEXTE

Les pages Web sont des documents hypertexte.
Un tel document contient du texte en couleurs
et souligné (lien hypertexte) qui permet de
se connecter à d'autres pages sur le Web.
On passe facilement d'une page Web à une
autre en sélectionnant le texte souligné.

La sélection du lien hypertexte peut conduire vers
une page stockée sur le même ordinateur ou sur
un autre ordinateur situé n'importe où dans la
ville, le pays ou le monde.

NAVIGATEUR WEB

Un navigateur Web est un
programme que vous utiliserez
pour afficher et explorer les
informations du Web.

La plupart des navigateurs ont le même aspect.

■ Cette zone affiche
l'adresse de la page affichée.

■ Cette zone affiche
la page Web.

■ Cette zone affiche une barre d'outils qui permet
d'effectuer rapidement les tâches courantes.

PAGE DE DÉMARRAGE

La page de démarrage est la page qui apparaît
chaque fois que vous lancez votre navigateur Web.

Vous pouvez choisir n'importe quelle page en tant
que page de démarrage. Assurez-vous d'en sélectionner une qui vous fournit un bon point de départ
pour l'exploration du Web.

NAVIGATEUR WEB

Signets

La plupart des navigateurs possèdent
une fonction appelée signets ou favoris.
Elle permet de stocker l'adresse de pages
Web que vous visitez fréquemment.
Les signets vous évitent d'avoir à vous
souvenir de l'adresse de vos pages
favorites et de devoir les ressaisir.

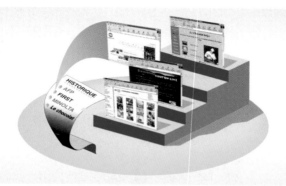

Désactiver l'affichage des images

Les images et graphismes peuvent
prendre du temps pour apparaître à
l'écran. Pour aller plus vite, désactivez
l'affichage des images – dans ce cas,
une icône (par exemple 🖼) apparaît
à l'emplacement des images.

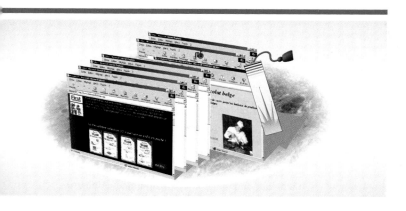

Liste historique

Lorsque vous parcourez les pages du Web,
il peut être difficile de conserver une trace
de l'emplacement des pages visitées.
La plupart des navigateurs possèdent une
liste historique que vous consultez pour
retourner rapidement sur n'importe quelle
page visitée récemment.

Affichage des images activé

Affichage des images désactivé

NAVIGATEUR WEB

Internet Explorer (Microsoft)
est un des navigateurs Web
les plus connus.

La dernière version d'Internet Explorer contient
des programmes complémentaires que vous
pouvez utiliser pour échanger des informations
sur Internet.
Vous obtiendrez la dernière version d'Internet
Explorer sur le site Web suivant :

www.microsoft.com/france.

Explorer le Web

Internet Explorer intègre le Web, le réseau de votre
entreprise et votre bureau Windows 95 ou 98 – ce
qui vous permet de parcourir l'information plus
efficacement. Ce navigateur fournit également des
fonctionnalités avancées en matière de sécurité,
pour que vous achetiez en toute confiance sur Internet.

Échanger du courrier électronique

Internet Explorer contient Outlook Express, programme grâce auquel vous échangez du courrier électronique avec des personnes du monde entier. Outlook Express vous permet d'agrémenter vos messages avec des images, des animations et du multimédia.

Participer aux groupes de discussion

Vous pouvez utiliser Outlook Express, fourni avec Internet Explorer, pour vous joindre aux groupes de discussion, appelés aussi *newsgroups*. Vous y rencontrez des personnes, venant du monde entier, qui partagent vos centres d'intérêt. Il existe des milliers de groupes de discussion sur une multitude de sujets.

Participer à des conférences

Internet Explorer contient NetMeeting, qui vous permet de communiquer facilement avec d'autres personnes sur Internet : converser avec un collaborateur, échanger des fichiers et travailler ensemble sur un même document.

Créer des pages Web

Internet Explorer comprend aussi FrontPage Express,
qui vous aide à créer et modifier vos pages Web.
Vous pouvez transférer ensuite les pages sur le Web
afin que les utilisateurs du monde entier puissent lire
ces informations.

Afficher les chaînes

Internet Explorer permet l'affichage de chaînes d'information.
Une chaîne est un site Web qui fournit à votre ordinateur,
automatiquement, des informations à intervalles réguliers.
Il existe des chaînes consacrées à des sujets variés :
les films, la musique, l'actualité, la Bourse, les voyages ou
la décoration d'intérieur.

MULTIMÉDIA SUR LE WEB

*Les procédés multimédias
sont très efficaces pour attirer
l'attention sur les informations
d'une page Web.*

De nombreuses sociétés utilisent le
multimédia, une combinaison de textes,
d'images, de sons et de vidéo ou d'animation,
pour vendre leurs produits ou leurs services
sur Internet.

TEXTES ET IMAGES

Vous pouvez afficher des documents, tels que des
journaux, des magazines, des pièces de théâtre ou
des discours célèbres. Vous pouvez également voir
des images, par exemple des photos de personnages
célèbres ou des peintures. La majorité des pages Web
contiennent une combinaison de textes et d'images.

SONS ET VIDÉOS

Vous pouvez écouter des sons sur le Web, par exemple, des génériques d'émission de télévision, des bandes originales de film et des discours historiques.

Vous pouvez également afficher des vidéos sur le Web, par exemple des actualités, des extraits de films, des dessins animés ou des entretiens avec des personnes célèbres.

MULTIMÉDIA SUR LE WEB

Le flux multimédia *(streaming)* est une technique de
téléchargement qui permet d'écouter de la musique ou
de voir un film en continu sur le Web (par exemple un
concert en direct ou un événement sportif) au fur et à
mesure de leur réception sur l'ordinateur.

La plupart des navigateurs Web ne permettent
pas automatiquement la lecture en temps réel.
Vous devez acquérir un programme tel que
RealNetworks, RealPlayer ou Microsoft NetShow.

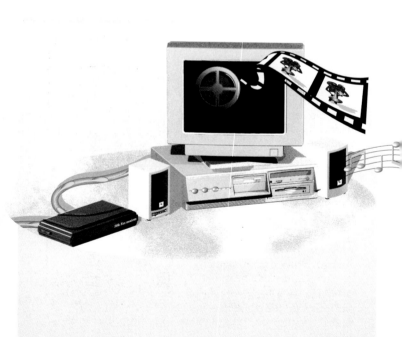

AMÉLIORER LES PAGES WEB

La plupart des navigateurs peuvent utiliser
des applications Java, JavaScript et ActiveX.

Java

Java est un langage de
programmation complexe qui
permet la création de pages
Web animées et interactives.
Les pages Web utilisant Java
peuvent par exemple afficher des
animations ou des textes animés
et jouer des musiques.

JavaScript

JavaScript est un langage de
programmation simple, utilisé
essentiellement pour
agrémenter les pages Web, par
exemple l'affichage de
messages déroulants et le
fondu entre pages Web.

ActiveX

ActiveX est une technologie
utilisée pour améliorer les
pages Web. Par exemple,
ActiveX s'utilise pour ajouter
des menus déroulants qui
affichent instantanément les
options d'une page Web.

ACHETER SUR LE WEB

Sans quitter votre bureau, vous pouvez acheter des produits et des services sur le Web.

Des milliers de produits sont disponibles, par exemple des vêtements, des fleurs, des accessoires de bureau, des logiciels.

Le Web propose également toutes sortes de services, par exemple, des conseils bancaires, financiers, ou immobiliers.

SOCIÉTÉS

De nombreuses sociétés présentent leur catalogue, ce qui vous permet de choisir et d'acheter leurs produits sur le Web.

Vous trouverez une liste de sociétés à l'adresse : www.yahoo.fr/Commerce_et_economie/Societes/ Vente_a_distance/Vente_en_ligne/

CENTRES COMMERCIAUX

Il existe des centres commerciaux sur Internet où vous pouvez trouver et acheter toutes sortes de produits et de services offerts par un certain nombre de sociétés différentes.

Vous trouverez une liste de centres commerciaux à l'adresse :
www.yahoo.fr/Commerce_et_economie/Societes/
Centres_commerciaux/Virtuels/

SÉCURITÉ SUR LE WEB

La sécurité est un élément important quand vous voulez transmettre sur Internet des informations personnelles, telles que le numéro de votre carte bancaire.

PAGES WEB SÉCURISÉES

Il existe des pages Web sécurisées qui protègent les informations confidentielles que vous envoyez sur Internet. Les pages Web sécurisées fonctionnent avec les navigateurs Web pour créer un système de sécurité inviolable.

Il peut être plus sûr d'envoyer un numéro de carte bancaire par une page Web sécurisée que de le donner par téléphone à un inconnu.

VISITER UNE PAGE WEB SÉCURISÉE

Généralement l'adresse d'une page Web sécurisée commence par https à la place de http. Lorsque vous visitez une page Web sécurisée, votre navigateur Web affiche un cadenas au bas de l'écran pour indiquer que la page est sécurisée.

RECHERCHER SUR LE WEB

Il existe de nombreux services gratuits auxquels vous pouvez recourir pour trouver des informations sur le Web. On les appelle des moteurs de recherche.

Les moteurs de recherche recensent et classent les pages Web afin de les trouver facilement. Certains d'entre eux enregistrent tous les mots d'une page Web, alors que d'autres n'enregistrent que le nom de la page.

COMMENT LES OUTILS DE RECHERCHE TROUVENT LES PAGES W

Il existe deux méthodes de recensement des pages Web. En effet, des centaines de nouvelles pages apparaissent quotidiennement et il est impossible pour ces outils de cataloguer chacune d'elles.

Candidatures

Des individus envoient souvent des informations sur les pages Web qu'ils ont créées.

Robots

La plupart des outils de recherche possèdent des robots qui parcourent le Web à la recherche de nouvelles pages.

RECHERCHER SUR LE WEB

Parcourir les catégories

Vous pouvez parcourir des catégories, par exemple Art, Sciences ou Sports, pour trouver des informations qui vous intéressent. Lorsque vous sélectionnez une catégorie, une liste de sous-catégories apparaît. Vous continuez de sélectionner les sous-catégories jusqu'à ce que vous trouviez la page Web qui vous intéresse.

Rechercher par sujet

Vous saisissez un mot dans un outil de recherche pour trouver un sujet qui vous intéresse. L'outil affiche une liste de pages contenant le mot spécifié.

Astuces pour la recherche

La plupart des outils de recherche vous permettent d'affiner votre recherche. Par exemple, vous pouvez chercher une phrase en délimitant les mots par des guillemets. La plupart des outils utilisent des commandes ou des symboles spéciaux pour préciser la recherche.

DÉMARRER SUR LE WEB

Une " porte d'entrée " (Web portal)
est une page Web qui constitue un
excellent point de départ pour
l'exploration d'Internet.

Les portes d'entrée vous permettent de
saisir un mot ou une phrase pour trouver
rapidement des informations sur le Web.
Elles servent également à parcourir
des catégories par exemple Économie,
ou Sport.

PORTES D'ENTRÉE LES PLUS CONNUES

Il existe différentes portes d'entrée que vous pouvez utiliser.

Excite

www.excite.fr

Yahoo!

www.yahoo.fr

Netscape Netcenter

www.netscape.fr

DÉMARRER SUR LE WEB

Courrier électronique

Généralement, les portes d'entrée offrent des
services de messagerie électronique gratuits.
Cela vous permet d'envoyer et de recevoir du
courrier électronique à partir de n'importe quel
ordinateur relié au Web.

Actualité

De nombreuses portes d'entrée fournissent les
grands titres de l'actualité, mais également les
résultats sportifs ou les cours de la Bourse.
Vous sélectionnerez un titre pour afficher la
totalité de l'article concerné. Certaines portes
d'entrée offrent des séquences vidéo ou audio
sur des événements de l'actualité.

Chat

Les portes d'entrée offrent souvent des services
de conversation *(chat)* permettant de communiquer
instantanément avec des personnes du monde entier.

Personnalisation

Vous pouvez personnaliser la plupart des portes
d'entrée pour afficher les informations que vous
souhaitez, par exemple, pour voir les prévisions
météo de votre localité.

LES ENFANTS ET LE WEB

On ne peut laisser les enfants
sans surveillance lorsqu'ils
parcourent le Web.

La plupart des sites ont pour vocation
l'éducation ou le divertissement des
visiteurs du Web. Toutefois, vous
trouverez certains sites qui affichent des
documents dont le contenu est déplacé.

INFORMATIONS CONTRAIRES AUX BONNES MŒURS

Images

Il existe de nombreux sites Web affichant
des images pour adultes. La plupart de ces
sites vérifient que les utilisateurs sont bien
des adultes, mais ils affichent souvent des
exemples d'images sur la première page.

ATTENTION!!!
Ce site
ne convient pas
aux enfants

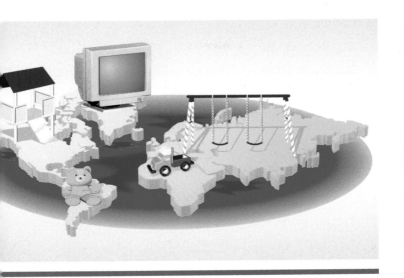

Documents

Il existe de nombreux documents sur le Web allant de la description de sottises à faire en classe jusqu'à la fabrication de bombes. Ces contenus peuvent attirer les adolescents et se trouvent souvent sur des sites diffusant aussi des livres censurés. Généralement, il n'existe aucune restriction d'accès à ces documents.

LES ENFANTS ET LE WEB

Surveillance d'un adulte

La surveillance constante par un adulte reste le meilleur moyen de s'assurer que les enfants n'accèdent pas à des informations non souhaitables sur le Web.

Avant chaque session sur le Web, l'adulte et l'enfant doivent convenir du but de la session, par exemple la recherche pour un projet scolaire. Ceci permet d'établir un ensemble de règles et de naviguer efficacement.

Programmes de restriction

Vous pouvez acheter des programmes qui restreignent l'accès à certains sites Web. La plupart fournissent des listes, régulièrement mises à jour, de sites Web considérés comme choquants pour les enfants.

Vous trouverez des programmes de restriction sur les sites suivants :

Cyber Patrol
www.cyberpatrol.com

Net Nanny
www.netnanny.com

Restrictions du navigateur

Certains navigateurs Web permettent de restreindre les informations auxquelles accèdent les enfants. De nombreux sites Web font l'objet d'une évaluation avec un système similaire à celui des émissions de télévision et des films.

Vous pouvez configurer votre navigateur pour ne permettre l'accès qu'aux sites correspondant à un certain public.

CRÉER ET PUBLIER DES PAGES WEB

Vous pouvez créer et publier des pages sur le Web pour partager des informations avec des personnes du monde entier.

Les particuliers publient des pages Web pour partager des images, des passions et des centres d'intérêt. Les sociétés publient des pages Web pour se faire connaître, promouvoir leurs produits et diffuser des offres d'emploi.

Organiser ses idées

Avant de commencer la création de pages Web, réfléchissez aux idées que vous allez développer et aux transitions pour passer de l'une à l'autre. Séparez les informations afin de n'exposer qu'un thème par page. Vous trouverez peut-être plus simple de concevoir une maquette de vos pages sur des feuilles de papier.

Langage HTML

Le HTML *(HyperText Markup Language)* est un langage utilisé pour créer des pages Web. Il existe de nombreux programmes disponibles, appelés des éditeurs HTML, que vous utiliserez pour créer des pages Web sans apprendre le langage. Les éditeurs HTML les plus utilisés sont FrontPage (Microsoft) et HotDog Pro (Sausage Software).

CRÉER ET PUBLIER DES PAGES WEB

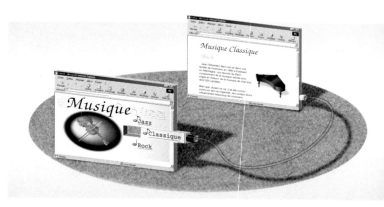

Images

Ajoutez des images à vos pages Web pour les rendre plus attrayantes. Vous pouvez les créer sur votre ordinateur, ou les copier depuis le Web, ou utiliser un scanner pour les numériser à partir d'un support imprimé. Lorsque vous copiez des images qui ne vous appartiennent pas, prenez garde aux droits d'auteur.

Liens

Vous pouvez ajouter des liens à vos pages Web.
Ceux-ci permettent aux lecteurs de sélectionner
une image ou un texte en couleurs et souligné
pour afficher une autre page sur le Web.
Les liens sont l'une des fonctionnalités les plus
importantes de votre page Web, puisqu'ils permettent
aux lecteurs de se déplacer facilement à travers les
informations.

Évitez de placer
trop d'images sur
vos pages Web.
Elles augmentent
le temps que
prend la page
avant de
s'afficher
entièrement.

Publier vos pages Web

Lorsque vous avez créé vos pages Web, vous les
publiez en les transférant sur un serveur Web.
La société qui vous fournit un accès à Internet vous
offre généralement un espace sur son serveur que
vous utiliserez pour publier vos pages Web.

DÉMARRER INTERNET EXPLORER

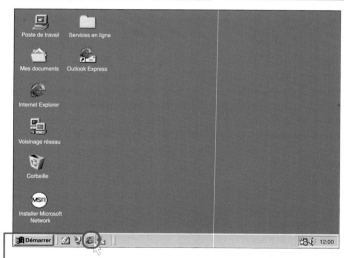

1 Cliquez 🞔 pour
lancer Internet Explorer
et commencer à
naviguer sur le Web.

*Note. Si l'assistant de
connexion Internet apparaît,
lisez le haut de la page 53.*

Vous pouvez lancer Internet
Explorer pour naviguer
au sein des informations
disponibles sur le Web.

■ La boîte de dialogue
Connexion à distance
apparaît.

■ Cette zone affiche
votre nom d'utilisateur
et votre mot de passe.

*Note. Un astérisque (*) apparaît à la
place de chacun des caractères de
votre mot de passe pour empêcher
les autres utilisateurs de le lire.*

2 Cliquez **Connexion** pour
vous connecter à votre
fournisseur d'accès.

DÉMARRER INTERNET EXPLORER

DÉMARRER INTERNET EXPLORER (SUITE)

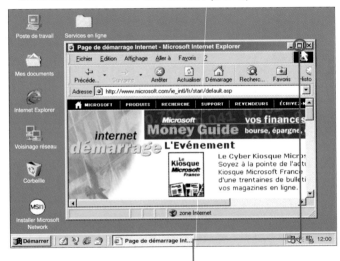

■ La fenêtre Microsoft Internet Explorer s'ouvre sur la page de démarrage.

Note. Votre ordinateur peut faire apparaître une page Web différente.

3 Cliquez 🔲 pour agrandir la fenêtre, de telle sorte qu'elle occupe complètement l'écran.

L'assistant de connexion Internet apparaît la première fois que vous lancez Internet Explorer afin de vous aider à vous connecter à l'Internet.

Vous pouvez l'utiliser pour établir une nouvelle connexion à l'Internet ou pour configurer un compte existant. Pour configurer un compte existant, adressez-vous à votre fournisseur d'accès pour savoir quelles informations saisir.

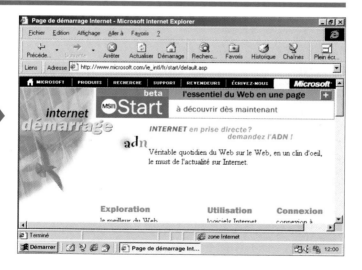

■ La fenêtre recouvre complètement l'écran.

AFFICHER UNE PAGE WEB

AFFICHER UNE PAGE WEB SPÉCIFIQUE

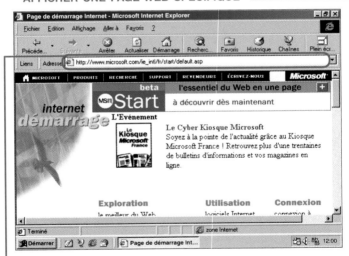

1 Cliquez cette zone pour sélectionner l'adresse de la page Web en cours d'utilisation.

Vous pouvez visualiser très facilement une page Web dont vous avez entendu parler.

Vous devez connaître l'URL de la page Web que vous souhaitez visualiser. Chaque page du Web possède une adresse exclusive, appelée URL *(Uniform Resource Locator)*.

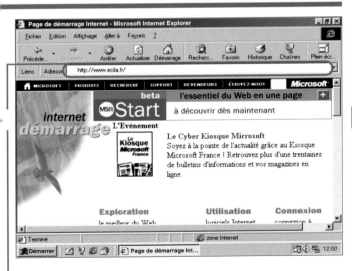

2 Saisissez l'adresse de la page Web que vous souhaitez visualiser, puis appuyez sur Entrée.

■ Quand vous commencez à saisir l'adresse d'une page Web que vous avez déjà saisie précédemment, Internet Explorer la complète automatiquement à votre place.

AFFICHER UNE PAGE WEB

www.radio-France.fr

AFFICHER UNE PAGE WEB SPÉCIFIQUE (SUITE)

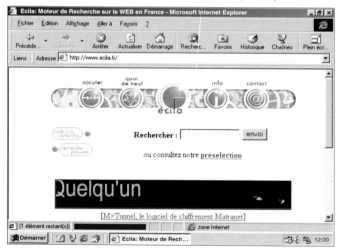

■ La page Web apparaît
à l'écran.

Vous pouvez omettre le préfixe
http:// pour saisir l'adresse d'une
page.

Par exemple, vous pouvez
saisir indifféremment
http://www.radio-France.fr ou
www.radio-France.fr pour faire
apparaître la page Web de
France Inter.

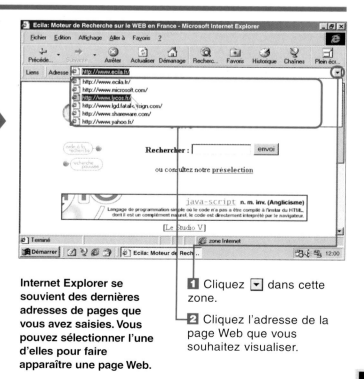

Internet Explorer se
souvient des dernières
adresses de pages que
vous avez saisies. Vous
pouvez sélectionner l'une
d'elles pour faire
apparaître une page Web.

1 Cliquez ▼ dans cette
zone.

2 Cliquez l'adresse de la
page Web que vous
souhaitez visualiser.

SÉLECTIONNER UN LIEN

SÉLECTIONNER UN LIEN

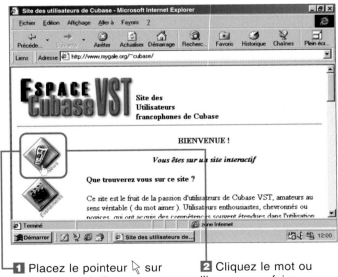

1 Placez le pointeur ⅃ sur un mot en surbrillance ou sur une image qui vous intéresse. Le pointeur ⅃ se transforme en petite main (🖑) au-dessus d'un lien.

2 Cliquez le mot ou l'image pour faire apparaître une autre page Web.

Un lien relie du texte ou une image d'une page Web à une autre page Web. Il suffit de sélectionner ce texte ou cette image pour faire apparaître l'autre page Web.

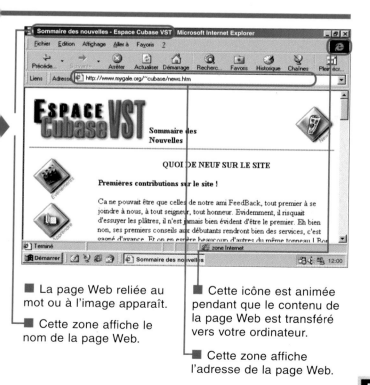

■ La page Web reliée au mot ou à l'image apparaît.

▬ Cette zone affiche le nom de la page Web.

■ Cette icône est animée pendant que le contenu de la page Web est transféré vers votre ordinateur.

▬ Cette zone affiche l'adresse de la page Web.

ACTUALISER UNE PAGE WEB

ACTUALISER UNE PAGE WEB

1 Cliquez **Actualiser** pour rapatrier sur votre ordinateur une version actualisée de la page Web affichée.

Vous pouvez actualiser une page
Web pour mettre à jour les
informations affichées et prendre
connaissance des dernières
nouvelles, par exemple.

Internet Explorer rapatriera
alors la toute dernière
version de la page Web
sur votre ordinateur.

■ Une copie actualisée
de la page Web s'affiche
à l'écran.

INTERROMPRE UN TRANSFERT D'INFORMATIONS

INTERROMPRE UN TRANSFERT D'INFORMATIONS

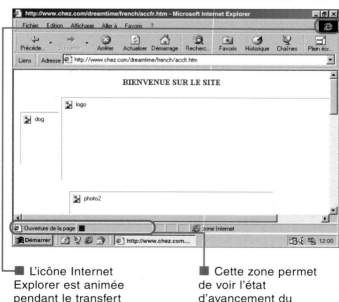

■ L'icône Internet Explorer est animée pendant le transfert des informations vers l'ordinateur.

■ Cette zone permet de voir l'état d'avancement du

Si une page Web met trop de temps à apparaître à l'écran, vous pouvez interrompre son transfert et essayer de vous y connecter ultérieurement.

Pour naviguer sur le Web dans les meilleures conditions possibles, connectez-vous pendant les périodes creuses, telles que la nuit et le week-end.

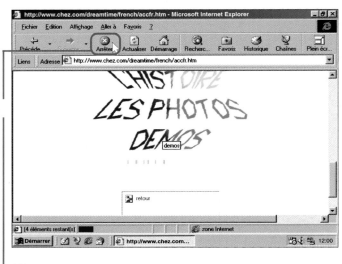

1 Cliquez **Arrêter** pour interrompre le transfert d'informations.

■ Vous pouvez également interrompre le transfert d'informations si vous vous apercevez qu'une page Web ne vous intéresse pas.

SE DÉPLACER D'UNE PAGE WEB À L'AUTRE

SE DÉPLACER D'UNE PAGE WEB À L'AUTRE

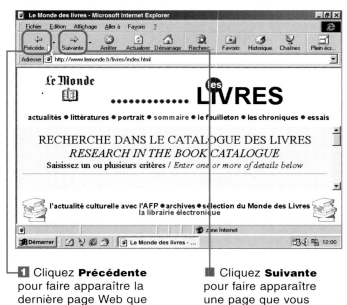

1 Cliquez **Précédente** pour faire apparaître la dernière page Web que vous avez visualisée.

2 Cliquez **Suivante** pour faire apparaître une page que vous avez visualisée après la page actuellement affichée.

Vous pouvez passer à la
page suivante ou à la
page précédente pour
faire apparaître une page
que vous avez consultée
depuis que vous avez
lancé Internet Explorer.

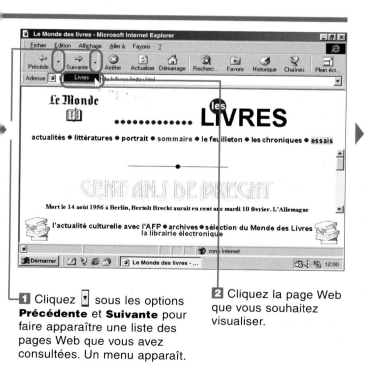

1 Cliquez ▼ sous les options
Précédente et **Suivante** pour
faire apparaître une liste des
pages Web que vous avez
consultées. Un menu apparaît.

2 Cliquez la page Web
que vous souhaitez
visualiser.

AFFICHER LA PAGE DE DÉMARRAGE

AFFICHER LA PAGE DE DÉMARRAGE

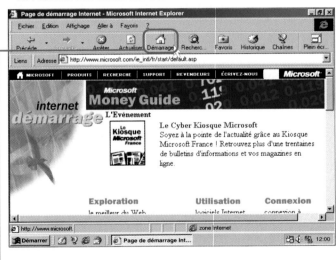

AFFICHER LA PAGE
DE DÉMARRAGE

1 Cliquez **Démarrage**
pour faire apparaître la
page de démarrage.

■ Internet Explorer utilise
initialement la page
d'accueil de Microsoft
comme page de
démarrage.

*Note. Votre page de démarrage
peut être différente.*

Vous pouvez indiquer à Internet Explorer quelle page doit apparaître chaque fois que vous le lancez. Cette page est appelée page de démarrage.

MODIFIER LA PAGE DE DÉMARRAGE

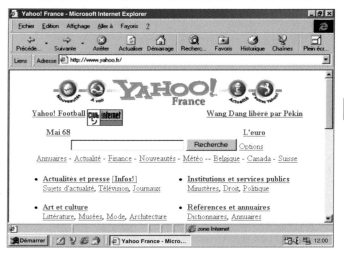

<u>CHANGER LA PAGE</u>
<u>DE DÉMARRAGE</u>

1 Affichez la page Web que vous souhaitez utiliser comme page de démarrage.

MODIFIER LA PAGE DE DÉMARRAGE

MODIFIER LA PAGE DE DÉMARRAGE (SUITE)

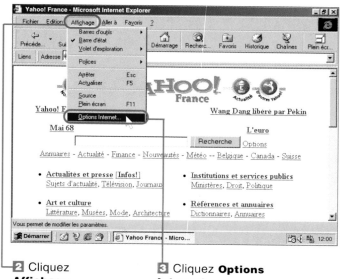

2 Cliquez **Affichage**.

3 Cliquez **Options Internet**.

■ La boîte de dialogue Options Internet apparaît.

Vous pouvez utiliser n'importe quelle page du Web comme page de démarrage. Choisissez de préférence une page qui constitue un bon point de départ pour explorer le Web.

Votre page de démarrage peut également être une page que vous aimez particulièrement consulter.

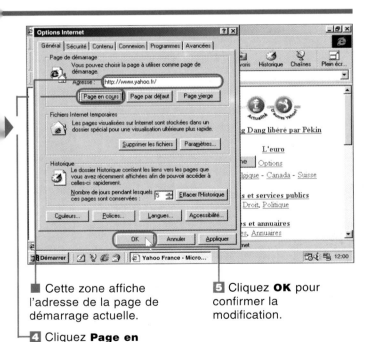

■ Cette zone affiche l'adresse de la page de démarrage actuelle.

◄ 4 Cliquez **Page en cours** pour faire de la page Web affichée à l'écran la nouvelle page de démarrage.

5 Cliquez **OK** pour confirmer la modification.

AJOUTER UNE PAGE WEB AUX FAVORIS

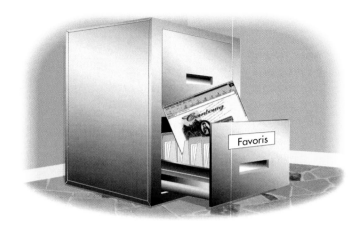

AJOUTER UNE PAGE WEB AUX FAVORIS

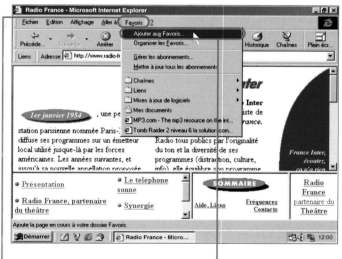

1 Affichez la page Web que vous souhaitez ajouter à votre série de pages favorites.

2 Cliquez **Favoris**.

3 Cliquez **Ajouter aux Favoris**.

■ La boîte de dialogue Ajout de Favoris apparaît.

Vous pouvez utiliser la
fonction Favoris pour créer
une liste des pages Web que
vous visitez régulièrement.
Vous pourrez ainsi accéder
rapidement à n'importe
quelle page de cette liste.

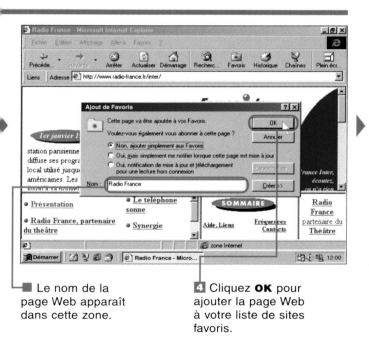

■ Le nom de la
page Web apparaît
dans cette zone.

4 Cliquez **OK** pour
ajouter la page Web
à votre liste de sites
favoris.

AJOUTER UNE PAGE WEB AUX FAVORIS

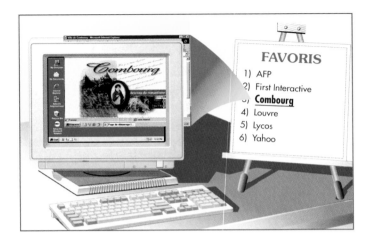

FAVORIS
1) AFP
2) First Interactive
3) **Combourg**
4) Louvre
5) Lycos
6) Yahoo

AJOUTER UNE PAGE WEB AUX FAVORIS (SUITE)

AFFICHER UNE PAGE WEB
FAVORITE

1 Cliquez **Favoris** pour faire apparaître la liste de vos pages Web favorites.

■ La liste de vos pages favorites apparaît dans cette zone.

2 Cliquez la page Web favorite que vous souhaitez visualiser.

L'adresse d'une page Web peut être longue et complexe. En sélectionnant une page dans une liste de favoris, vous n'aurez pas à vous rappeler l'adresse de la page, et vous n'aurez pas à saisir continuellement la même adresse.

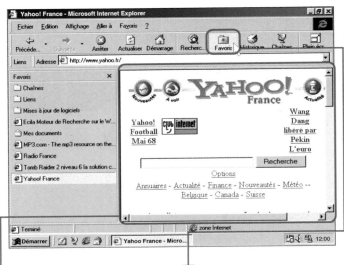

■ La page Web favorite que vous avez sélectionnée apparaît dans cette zone.

■ Vous pouvez répéter l'étape 2 pour visualiser une autre page favorite.

3 Une fois que vous avez terminé d'utiliser la liste de vos pages Web favorites, cliquez **Favoris** pour masquer celle-ci.

AFFICHER L'HISTORIQUE DES PAGES WEB CONSULTÉES

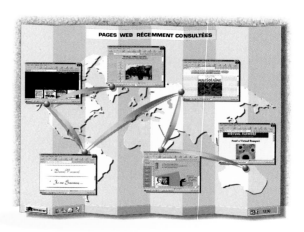

AFFICHER L'HISTORIQUE

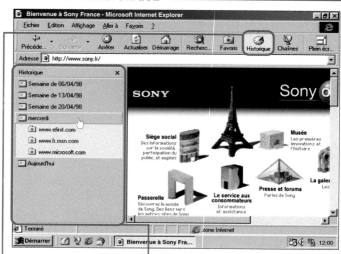

1 Cliquez **Historique** pour afficher la liste des pages Web que vous avez consultées récemment.

■ Un historique des pages Web consultées récemment apparaît.

2 Cliquez la semaine ou le jour correspondant au moment ou vous avez consulté la page Web voulue. Chaque jour et chaque semaine sont précédés du symbole 🔲.

Internet Explorer conserve
une trace des pages Web
que vous avez consultées
récemment. Vous pouvez
ainsi y accéder à nouveau
à tout moment.

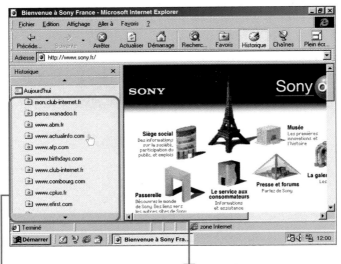

■ Les sites Web consultés
durant la semaine ou le jour
concernés apparaissent.
Chaque site Web est
précédé du symbole 📷.

3 Cliquez le site Web
qui vous intéresse.

AFFICHER L'HISTORIQUE
DES PAGES WEB CONSULTÉES

AFFICHER L'HISTORIQUE (SUITE)

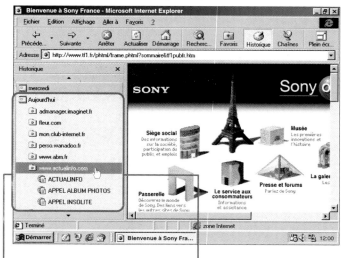

■ Les pages Web que vous avez consultées apparaissent. Chaque page Web est précédée du symbole 🗐.

4 Cliquez la page Web que vous souhaitez visualiser.

Internet Explorer se souvient
des pages Web que vous avez
visualisées au cours des
20 derniers jours.

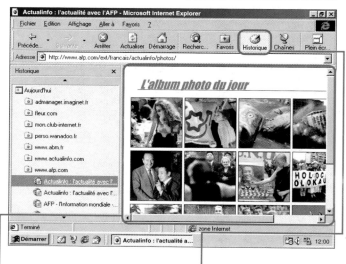

■ La page Web apparaît
dans cette zone.

■ Vous pouvez répéter
l'étape **4** pour consulter
une autre page Web.

5 Une fois que vous
avez terminé d'utiliser
la liste des pages Web
que vous avez
consultées récemment,
cliquez **Historique**
pour masquer celle-ci.

RECHERCHER DES INFORMATIONS SUR LE WEB

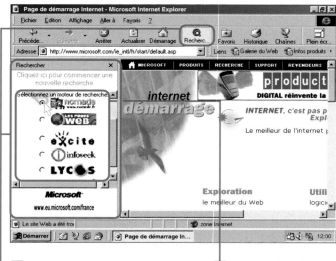

1 Cliquez **Rechercher** pour rechercher une page traitant d'un sujet qui vous intéresse.

■ Cette zone montre un outil de recherche que vous pouvez utiliser pour rechercher des informations.

2 Cliquez l'outil de recherche que vous souhaitez utiliser.

Vous pouvez rechercher sur
le Web des pages traitant de
sujets qui vous intéressent.

Le Web permet d'utiliser un
certain nombre d'outils qui
répertorient les informations
de plusieurs millions de pages
Web. Excite, Lycos et Yahoo!
sont trois exemples d'outils de
recherche très utilisés.

■3 Cliquez cette zone,
puis saisissez le mot
que vous recherchez.

■4 Appuyez sur Entrée pour
lancer la recherche.

RECHERCHER DES INFORMATIONS SUR LE WEB

RECHERCHER DES INFORMATIONS SUR LE WEB (SUITE)

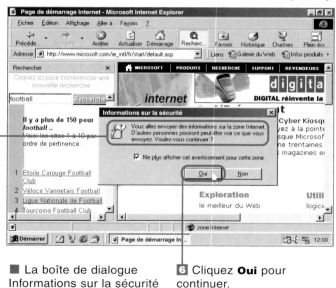

■ La boîte de dialogue Informations sur la sécurité apparaît.

5 Cliquez cette option si vous ne souhaitez pas que cet avertissement appa-raisse (☐ devient ☑).

6 Cliquez **Oui** pour continuer.

Certains outils de recherche utilisent un programme appelé robot pour détecter les nouvelles pages et les pages mises à jour sur le Web.

Les robots localisent et cataloguent des milliers de pages chaque jour. De nouvelles pages sont également cataloguées quand les créateurs de pages Web envoient des informations sur les pages qu'ils ont créées.

■ Une liste de pages Web contenant le mot que vous avez spécifié apparaît. Si vous ne voyez pas la totalité de la liste, utilisez la barre de défilement pour la faire défiler.

7 Cliquez la page Web que vous souhaitez afficher.

■ La page Web apparaît dans cette zone.

8 Une fois que vous avez terminé de chercher des informations, cliquez **Rechercher** pour masquer l'outil de recherche.

Musée du Louvre

Le site officiel de l'un des musées les plus visités au monde.

URL Mistral.culture.fr/louvre

Bibliothèque Nationale de France (BNF)

L'une des bibliothèques les plus riches au monde : cinq siècles d'histoire y sont conservés.

URL www.bnf.fr

Musée du Québec

Historique et présentation du musée d'art national du Québec qui renferme quelques 20 000 œuvres d'art ancien, moderne et contemporain.

URL www.mcq.org

France cinéma multimédia

Les nouveaux films en salle. Fiches techniques, photos et dernières nouvelles du cinéma.

URL www.fcm.fr

Allo Ciné

L'actualité du cinéma en France, sorties
hebdomadaires, programmation dans les salles.

URL www.allocine.fr

Cinémaniacs

L'actualité du cinéma en Belgique francophone :
programmation des salles, carrefour des opinions,
et base de données encyclopédique sur le cinéma.

URL www.cinemaniacs.be

Guide européen de la télévision

Listes des programmes dans différents pays
européens.

URL www.eurotv.com

Xanaweb

L'actualité du jeu vidéo remise à jour quotidiennement.
Jeux concours sur mesure pour les joueurs débutants
et confirmés, démos et vidéos à télécharger en avant-
première.

URL www.xanaweb.com

AFFAIRES ET ENTREPRISES

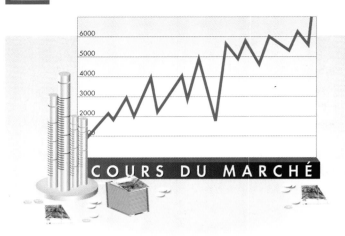

COURS DU MARCHÉ

La banque sur Internet

Présentation globale de l'état actuel des services bancaires en ligne, en Europe.

URL www.internet-banking.com/france/frwelcome.html

Finance

Toute la finance sur le Web : sites financiers du monde entier, cotations, conseils boursiers, graphiques boursiers et forums de discussion.

URL www.finance-net.com

La Bourse de Paris

Les sociétés cotées, le MONEP, le Nouveau Marché, l'EUROCAC, le marché libre, et la SBF.

URL www.bourse-de-paris.fr

La Bourse de Bruxelles

La Bourse en direct : cotations, sociétés cotées, évolution de l'indice BEL20.

URL www.bourse.be

La Bourse de Montréal

Historique, mission et fonctionnement de la Bourse et, bien sûr, sociétés inscrites, indices et marchés.

URL www.bdm.org/

Le Journal sur les Fonds

Pour les investisseurs, tout sur les placements canadiens et américains.

URL www.bmo.com/fondsm/

Gagnez en Bourse

Comment trouver un revenu complémentaire, dénicher un nouveau paradis fiscal, faire fructifier son patrimoine, financer un projet.

URL www.gagnez-en-bourse.tm.fr

APCE

Agence pour la création d'entreprise : véritable mine d'informations pour les créateurs ou repreneurs. Chiffres, adresses, conseils sur les aides, démarches et financement.

URL www.apce.com

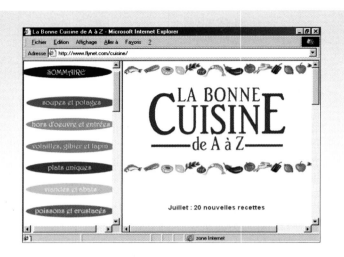

La bonne cuisine de A à Z

Pour les gourmets, recettes de cuisine
de la gastronomie française et d'ailleurs.

URL www.flynet.com/cuisine

Mille et une recettes

Encyclopédie en ligne de l'art culinaire.

URL www.1001recettes.com

World Wine Web

L'encyclopédie du vin la plus complète sur le Web.

URL www.winevin.com

Découverte des vins de France

Histoire du vin, présentation de différents crus, conseils
pour réaliser sa propre cave et art de la dégustation.

URL www.opali.fr/decouverte/

Le chocolat

La fabuleuse histoire du chocolat depuis la boisson des Aztèques jusqu'au chocolat belge ou ballotin de pralines.

URL Users.skynet.be/chocolat.fr

Géocities

Venues du Canada, les meilleures recettes de poissons et fruits de mer.

URL www.geocities.com/yosemite/9758

Végétariens

Recettes de cuisines végétariennes, listes de restaurants, conseils aux débutants.

URL Arrs.envirolink.org/francoveg

Le jus d'orange

L'histoire de l'orange depuis sa naissance en Chine jusqu'à sa consommation de masse.

URL www.oranges-juice.com

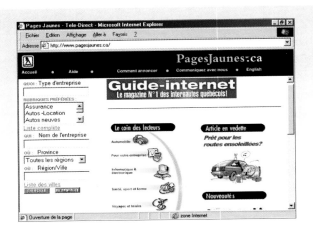

Le Monde

Le célèbre quotidien français présente une bonne partie de son contenu, ainsi que des dossiers, un forum et l'actualité avec l'Agence France Presse.

URL www.lemonde.fr

Le Journal de Montréal

Édition en ligne du quotidien francophone le plus lu en Amérique du Nord. On y retrouve, en particulier, une grande partie de l'actualité et les annonces classées.

URL www.journaldemontreal.com/

Le Soir

Les nouvelles de Belgique et du monde en ligne.

URL www.lesoir.be

AGEFI

Le quotidien suisse des affaires et de la finance.

URL www.agefi.com

Annuaires de France Telecom

Pages Jaunes, pages blanches avec 4 millions de
professionnels, une assistance cartographique pour
sélectionner les zones de recherche, et une exploration
des rues commerçantes.

URL www.pageszoom.tm.fr

Annuaires Pages Jaunes du Canada

Site officiel des annuaires Pages Jaunes
pour le Québec, l'Ontario et les Maritimes.

URL www.pagesjaunes.ca

Infobel, l'annuaire belge en ligne

L'annuaire en ligne de tous les abonnés
belges au réseau téléphonique.

URL www.infobel.be

Europe 1

Site dédié à l'information personnalisée transférée
en temps réel. Les flashs diffusés à l'antenne sont
disponibles sous la forme de fichiers son ou en
synthèse écrite.

URL www.europe1.fr

OUTILS DE RECHERCHE

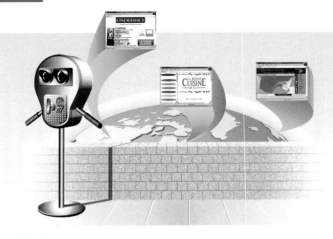

Alta Vista

Faites des recherches rapides parmi des millions de
pages Web et des milliers de groupes de discussion.

URL www.altavista.telia.com/fr

DejaNews

Se désignant comme le premier utilitaire de recherche
des infogroupes, DejaNews effectue des investigations
simples ou détaillées sur tous les groupes de
discussion.

URL www.dejanews.com

HotBot

Un moteur de recherche en anglais, permettant de
trouver des pages Web contenant des sons, des
images, des vidéos.

URL www.hotbot.com

Yahoo!

Premier outil de recherche en vogue, Yahoo fournit
un guide en couleurs du monde en ligne.

URL www.yahoo.fr

Sympatico

Service Internet national canadien qui offre de nombreux raccourcis vers l'information disponible structurés selon les principaux centres d'intérêts du public.

URL www2.sympatico.ca

Infoseek

Un outil de recherche qui couvre le Web, les infogroupes et les adresses de courrier électronique.

URL www.infoseek.com/fr

Lycos

Outil de recherche qui effectue ses recherches sur l'ensemble du Web ou sur la seule partie francophone.

URL www.lycos.fr

Search

Ce site combine plus de deux cent cinquante outils de recherche pour vous aider à trouver tout ce dont vous avez besoin.

URL www.search.com

SCIENCES

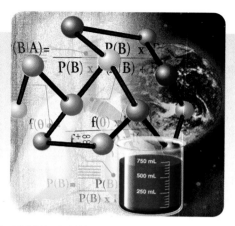

Les oiseaux de Québec

Ce site présente les meilleurs endroits pour observer les oiseaux au Québec, un répertoire des ornithologues et les adresses des clubs d'ornithologie.

URL www.ntic.qc.ca/~nellus/index.html

Agence Science Presse

Site de l'agence de presse qui, depuis près de 20 ans, alimente les médias québécois en informations sur les sciences et les nouvelles technologies.

URL www.sciencepresse.ca

La Cité de l'espace

Expositions et découvertes interactives et pédagogiques, actualité spatiale, photographies de l'espace, animations et événements spatiaux.

URL www.cite-espace.com

Cyber Espace

Site de référence internationale qui présente les tendances actuelles dans le domaine de l'astronomie. Un voyage aussi magnifique qu'instructif.

URL www.wdplus.com/cyber/cyberespace.html

Bio Mag

Magazine électronique d'information et de vulgarisation scientifique en biologie. L'actualité expliquée dans tous les domaines des sciences de la vie et de la nature.

URL www.cybercable.tm.fr/~biomag/

La Maison de l'astronomie

Tout pour observer le ciel et la nature : les matériels et leurs accessoires, les grandes marques, l'information. Expéditions dans le monde entier.

URL www.maison-astronomie.com

Éclipse, la revue des passionnés d'astronomie

Éclipse, revue bimestrielle d'astronomie amateur, disponible en kiosque ou par correspondance : dossiers, reportages, éphémérides, juniors, initiation, trucs et astuces, photos, concours.

URL www.mailclub.net/eclipse

L'Aérospatiale

Présentation du groupe aéronautique : produits, services, alliances et informations financières.

URL www.aerospatiale.fr

SHOPPING

Dégriftour

Agence virtuelle bien connue des amateurs de bonnes affaires. Pour chercher un billet bon marché, réserver et régler le prix d'un séjour.

URL www.degriftour.fr/

Novalis

Vente par correspondance de produits culturels : disques, livres, CD-ROM, cassettes vidéos.

URL www.novalis.fr

FNAC

Toute l'actualité de la FNAC et de la vente par correspondance : disques, livres, vidéos, CD-ROM, billetterie.

URL www.fnac.fr

Eurocity

Centre commercial européen à paiement sécurisé. Vente de livres, CD, orfèvrerie, horlogerie, vêtements, bricolage, sports, informatique.

URL www.eurocity.com

Les Champs-Élysées virtuels

La plus belle avenue du monde en ligne. Pour visiter chaque magasin et y faire ses achats.

URL www.iway.fr/champs-elysees

Choix

Réseau français d'hypermarchés et de supermarchés au service du consommateur. Propose 6 500 produits et services en ligne. Livraison à domicile.

URL www.choix.com

Finestore

Boutique gastronomique : catalogue de produits de la région du Sud-Ouest.

URL www.finestore.com

Boutique virtuelle de luxe

La première boutique virtuelle de luxe au monde. Pour réaliser ses plus beaux achats en ligne. Livraisons dans le monde entier. `

URL www.galeries-versailles.com

Annuaire Internet des sports en France

Le sport en France. Les organismes officiels, les fédérations : unisports olympiques, non olympiques, multisports, les clubs, les fournisseurs.

URL www.mistralc.com/sports-fr

Canal Plus Sports

Résultats et statistiques du football français et européen, basket, handball, rugby. Entretiens en RealAudio.

URL www.cplus.fr/html/sports/sports.htm

Le Sportif Déchaîné

Site de l'hebdomadaire satirique. Propose des enquêtes, des chroniques et des brèves d'actualité sur le monde du football et du sport en général. Publie également des portraits et petites phrases de personnalités sportives.

URL www.timesport.com/sd/

La bande sportive

Nombreux conseils pédagogiques pour inciter les enfants à la pratique du sport. Les enseignants peuvent également se renseigner sur l'attitude à adopter lors de situations délicates avec les élèves.

URL www.cslaval.qc.ca/edphys/

FIFA

Le site présente un historique, l'actualité de l'institution et de ses confédérations : UEFA, CAF, CONCACAF. Les calendriers et résultats de toutes les compétitions de football. Il suit toutes les évolutions du football, des règles du jeu aux contrats de sponsoring.

URL www.fifa.com

Canadiens de Montréal

Ce site propose un historique du club et une rétrospective de la saison précédente, donne un résumé du dernier match de l'équipe de hockey et informe sur la rencontre à venir.

URL www.canadiens.com/francais/index.cfm

Planète Rugby

Tout sur le rugby en France et dans le monde au jour le jour : historique, analyses, résultats, classements, Tournoi des 5 nations, mais aussi Rugbynews, l'hebdomadaire électronique du rugby.

URL www.club-internet.fr/planeterugby

Fédération française de tennis

Le site propose des informations fédérales, mais aussi des informations en temps réel (statistiques, images et sons) sur les manifestations tennistiques.

URL www.fft.fr

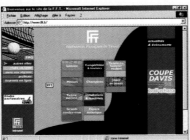

Éducation nationale

Accès aux différents documents du ministère de l'Éducation nationale en France, ainsi qu'aux programmes européens et francophones de coopération.

URL www.education.gouv.fr

Santé

Accès aux publications sur la santé éditées par le ministère de l'Emploi et le secrétariat à la Santé en France.

URL www.sante.gouv.fr/index.htm

Ministère de l'Économie, des Finances et de l'Industrie

Fournit des renseignements sur le projet de loi de finances, le passage à l'Euro.

URL www.finances.gouv.fr/index.html

Météo France

Pour connaître les dernières prévisions météorologiques, interpréter les images satellites, reconnaître les nuages, mais aussi comprendre les éclairs et les cyclones.

URL www.meteo.fr

MétéoMédia

Météo pour le Canada et le Québec. Permet d'avoir des prévisions sur plusieurs jours en sélectionnant une ville ou une province.

URL www2.sympatico.ca/meteo/qc.html

Circulation routière

Pour rechercher un itinéraire routier en France et en Europe. Calcul des frais de déplacement et des dépenses occasionnées par le voyage.

URL www.iti.fr

Legifrance

L'essentiel du droit français. Accessible en différentes langues.

URL www.legifrance.gouv.fr

Leroy Merlin

Des conseils pratiques pour le bricolage et l'actualité des magasins.

URL www.leroymerlin.fr

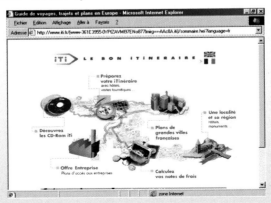

VOYAGES

Douce France Tourisme

Les principaux sites touristiques français. Pour choisir la région de vos prochaines vacances, par région ou par ville.

URL www.doucefrance.com/tourisme

Nouvelles Frontières

Pour consulter les vols à la carte en fonction de votre destination et de votre budget, ainsi que les circuits et séjours. Possibilité de réservation et de paiement en ligne.

URL www.nouvelles-fontieres.fr/

Le Cyber-Routard

Les bonnes adresses. Un voyageur averti en vaut deux.

URL www.netsurf.org/CyberRout

Africa On-Line

Informations touristiques sur plusieurs pays d'Afrique anglophone et francophone.

URL www.africaonline.com/

Le Web de l'Amérique latine

Nombreux renseignements pour préparer un séjour
ou, tout simplement, pour découvrir la beauté de
ce continent (culture, histoire, art, vie quotidienne).

URL www.partir.com/Decouvertes.html

Iles de l'océan Indien

Invitation au voyage vers des destinations de rêve.
Le site présente quelques-unes des plus belles îles
du monde : Ile Maurice, Madagascar, La Réunion.

URL www.top.internet-fr.net/oceanindien

Tourisme Québec

Site touristique officiel du Québec : principaux attraits,
manifestations et activités touristiques, services de
Tourisme, organismes de promotion du tourisme
québécois.

URL www.tourisme.gouv.qc.ca

Le Québec touristique

Tout sur les dix-neuf régions touristiques du Québec et
leurs principaux attraits. Avec un moteur de recherche
sur plus de 50 000 entreprises récréo-touristiques
québécoises.

URL www.quebectel.com/tourisme

Vous échangez du courrier électronique (e-mail) avec des personnes du monde entier.

Le courrier électronique permet d'envoyer de manière rapide, économique et simple des messages à votre famille, vos amis ou vos collègues.

PROGRAMME DE MESSAGERIE

Grâce à un programme de messagerie, vous envoyez, recevez et gérez votre courrier électronique.

Parmi les programmes de messagerie les plus répandus, on trouve Outlook Express (Microsoft) et Eudora Pro (Qualcomm).

Outlook Express

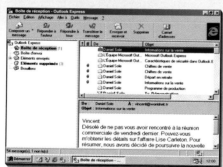

■ Cette zone affiche les dossiers contenant vos messages électroniques.

■ Cette zone affiche la liste de tous vos messages électroniques.

■ Cette zone affiche le contenu d'un message électronique.

PRÉSENTATION

Vitesse

Le courrier électronique est plus rapide qu'un courrier postal. Les messages électroniques traversent la planète en quelques minutes.

Facilité et souplesse

Il est possible de composer et d'envoyer un message électronique à tout instant. Contrairement aux appels téléphoniques, il n'est pas nécessaire que le destinataire soit présent devant son ordinateur lorsque vous envoyez votre message. Le courrier électronique facilite la communication entre des personnes vivant dans des fuseaux horaires différents.

Coût

Lorsque vous payez à un fournisseur de services votre connexion à Internet, il n'y a pas de charge supplémentaire pour l'envoi et la réception de messages. Vous ne payez pas non plus de supplément lorsque vous envoyez un long message, ni s'il est envoyé à l'autre bout du monde. L'échange de messages électroniques peut vous faire économiser le coût d'un appel longue distance. La prochaine fois que vous vous apprêtez à décrocher le téléphone, envisagez plutôt d'envoyer un message électronique.

ADRESSE

ADRESSE DU COURRIER ÉLECTRONIQUE

Une adresse de courrier électronique se compose
de deux parties séparées par le symbole @ (" at ").
Une adresse de courrier électronique ne peut pas
contenir d'espace.

■ Le nom de l'utilisateur
est le nom du compte de
la personne. Il peut s'agir
d'un vrai nom ou d'un
pseudonyme.

■ Le nom de domaine est
l'emplacement du compte
de l'utilisateur sur Internet.
Des points (.) séparent les
différentes parties du nom
de domaine.

Vous envoyez un courrier électronique à n'importe quelle personne dans le monde si vous connaissez son adresse électronique.

Une adresse de courrier électronique définit l'emplacement de la boîte aux lettres de cette personne sur Internet.

ADRESSES DE PERSONNALITÉS

NOM	ADRESSE
Jacques Chirac	chiracelysee@hotmail.com
Isabelle Adjani	adjaniisabelle@hotmail.com
Zinedine Zidane	webmaster@zidane.net
Serge Martiano	firstinfo@efirst.com
Bill Gates	billg@microsoft.com

ADRESSE

Généralement, les derniers caractères d'une adresse de courrier électronique indiquent le type de la société ou le pays de l'utilisateur.

ORGANISATION	
com	commerciale
edu	éducation
gov	gouvernement
mil	militaire
net	réseau
org	organisation (souvent à but non lucratif)

Pays	
au	Australie
be	Belgique
ca	Canada
fr	France
it	Italie
uk	Royaume-Uni

Un message peut être retourné parce qu'il n'a pas atteint sa destination. Généralement, cela se produit en raison d'une erreur dans la saisie de l'adresse.

Avant d'envoyer un message, vérifiez l'exactitude de l'adresse de courrier électronique.

CRÉER UN MESSAGE

Vous envoyez un message pour échanger des idées ou demander des informations.

Lorsque vous envoyez un message, ne pensez pas que son destinataire le lira aussitôt. En effet, certaines personnes ne vérifient pas régulièrement leurs messages.

Si vous souhaitez vous entraîner à envoyer des messages, vous pouvez en transmettre un à vous-même.

Style

Assurez-vous que chaque message envoyé est clair, concis et dépourvu de fautes d'orthographe. Prenez garde que votre message ne soit pas mal interprété. Par exemple, le destinataire peut ne pas s'apercevoir que vous donnez un ton humoristique ou sarcastique à un passage.

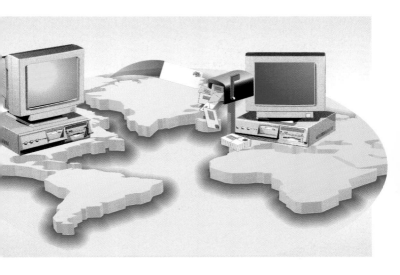

Signature

Votre programme de messagerie peut ajouter automatiquement des informations vous concernant à la fin de chaque message que vous envoyez – ce qui vous évite de les saisir systématiquement. Vous pouvez également utiliser des caractères semi-graphiques pour créer des dessins rudimentaires.

Smileys

Vous pouvez utiliser des caractères spéciaux, appelés *smileys* ou emoticons, pour exprimer des émotions dans les messages.
Ces caractères ressemblent à des visages lorsque vous les tournez sur le côté.

SMILEYS

Émotion	Personnage
Pleurs	:'-(
Déception	:-(
Indifférence	:-ɪ
Rire	:-D
Sourire	:-)
Surprise	:-0
Clin d'œil	:-)

Crier

UN MESSAGE ÉCRIT EN LETTRES MAJUSCULES EST AGAÇANT ET DIFFICILE À LIRE. ON APPELLE CELA UN CRI.

Utilisez toujours des majuscules et des minuscules lorsque vous écrivez des messages.

COMMENT VAS-TU ?

Abréviations

Des abréviations (issues de l'américain) sont
fréquemment utilisées dans les messages pour
éviter de longues frappes.

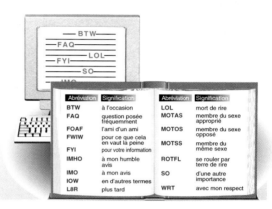

Abréviation	Signification	Abréviation	Signification
BTW	à l'occasion	LOL	mort de rire
FAQ	question posée fréquemment	MOTAS	membre du sexe approprié
FOAF	l'ami d'un ami	MOTOS	membre du sexe opposé
FWIW	pour ce que cela en vaut la peine	MOTSS	membre du même sexe
FYI	pour votre information		
IMHO	à mon humble avis	ROTFL	se rouler par terre de rire
IMO	à mon avis	SO	d'une autre importance
IOW	en d'autres termes		
L8R	plus tard	WRT	avec mon respect

Flamme

Une flamme est un message irrité ou insultant adressé
à une personne. Une guerre enflammée démarre à
partir d'un simple argument et dure longtemps.
Évitez de déclarer la guerre ou d'y participer.

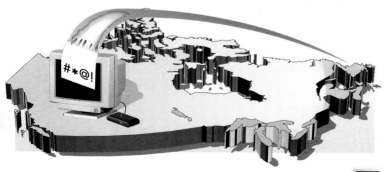

FONCTIONS

Il n'est pas nécessaire que vous soyez devant votre ordinateur pour recevoir un message. Votre fournisseur de services conserve tous vos messages jusqu'à ce que vous les récupériez. Veillez seulement à les consulter régulièrement.

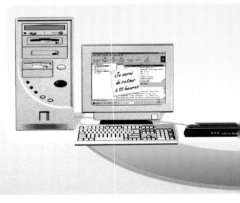

REPONDRE À UN MESSAGE

Vous répondrez à un message pour apporter une réponse à une question, exprimer une opinion ou fournir des renseignements complémentaires.

La plupart des ordinateurs équipés d'un modem peuvent vous connecter à votre fournisseur de services et récupérer vos messages, ce qui vous permet de vérifier votre courrier lorsque vous êtes en déplacement.

Lorsque vous répondez à un message, assurez-vous de joindre des parties du message original. On appelle cela la mise en retrait. Elle facilite l'identification du message auquel vous répondez. Pour que le lecteur ne perde pas de temps, supprimez toutes les parties du message qui n'ont pas de lien avec votre réponse ou auxquelles vous ne répondez pas.

FONCTIONS

Vous pouvez joindre un document, une image, un son, une vidéo ou un programme à un message.

La taille du fichier joint devrait être inférieure à 150 Kilo-octets. De nombreux ordinateurs sur Internet ont des difficultés à transférer des fichiers joints de grande taille.

De nombreux programmes de messagerie utilisent le format MIME pour joindre des fichiers aux messages.

Pour afficher un fichier joint, l'ordinateur du destinataire doit être en mesure d'utiliser le format MIME.
Cet ordinateur doit également posséder le programme permettant la lecture ou l'affichage du fichier.

TRANSFÉRER UN MESSAGE

Après avoir lu un message, vous pouvez ajouter des commentaires et l'envoyer à des amis ou des collaborateurs.

L'école fête son 10e anniversaire les 8, 9 et 10 août. Nous comptons sur votre présence à cette fête.

Je pense que cette réunion peut t'intéresser. Malheureusement, je serai absente à cette date.

Richard,

TRANSFÉRER À :
Richard Masson

Pour afficher un fichier joint, l'ordinateur du destinataire doit être en mesure d'utiliser le format MIME. Cet ordinateur doit également posséder le programme permettant la lecture ou l'affichage du fichier.

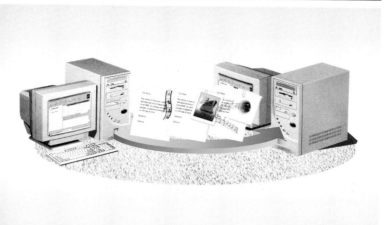

IMPRIMER UN MESSAGE

Vous pouvez imprimer un message
pour en conserver une copie papier.

DÉMARRER OUTLOOK EXPRESS

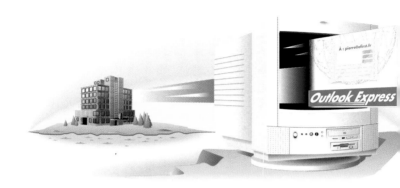

DÉMARRER OUTLOOK EXPRESS

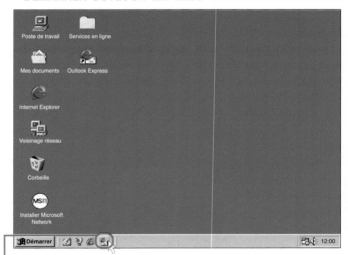

1 Cliquez 🖳 pour lancer Outlook Express.

Note. Si l'assistant de connexion Internet apparaît, consultez le haut de la page 53.

Vous pouvez utiliser Outlook
Express pour échanger des
messages électroniques avec
d'autres personnes situées dans
le monde entier.

Le courrier électronique circule
beaucoup plus rapidement que
le courrier traditionnel, appelé
" courrier escargot ". Un message
électronique peut faire le tour du
monde en quelques minutes.

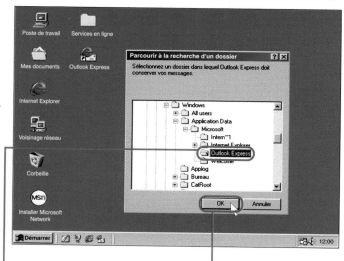

■ La boîte de dialogue
Parcourir à la recherche d'un
dossier apparaît la première
fois que vous lancez Outlook
Express.

└ Outlook Express stockera
les messages dans le dossier
sélectionné.

2 Cliquez **OK** afin
d'accepter le dossier
sélectionné pour
stocker les messages.

DÉMARRER OUTLOOK EXPRESS

NOM	ADRESSE
Jacques CHIRAC	chiracelysee@hotmail.com
Isabelle ADJANI	adjaniisabelle@hotmail.com
Caroline DESTAIS	destais@efirst.com
Patrick BRUEL	pbruel@yahoo.com
Bill GATES	billg@microsoft.com

DÉMARRER OUTLOOK EXPRESS (SUITE)

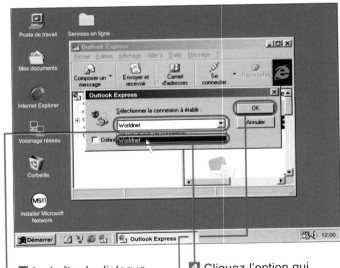

■ La boîte de dialogue Outlook Express apparaît.

3 Cliquez cette zone pour faire apparaître une liste des connexions d'accès à distance configurées sur l'ordinateur.

4 Cliquez l'option qui permet d'établir une connexion avec votre fournisseur d'accès.

5 Cliquez **OK** pour vous connecter à votre fournisseur d'accès.

Vous pouvez envoyer un message
électronique à toute personne
dont vous connaissez l'adresse
électronique. Voici quelques
adresses électroniques de
célébrités.

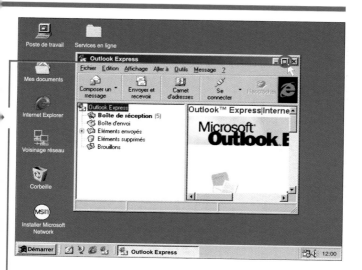

■ La fenêtre Outlook
Express apparaît.

■ La fenêtre Outlook
Express recouvre
complètement l'écran.

6 Cliquez □ pour
agrandir la fenêtre
Outlook Express de telle
sorte qu'elle recouvre
complètement l'écran.

LIRE DES MESSAGES

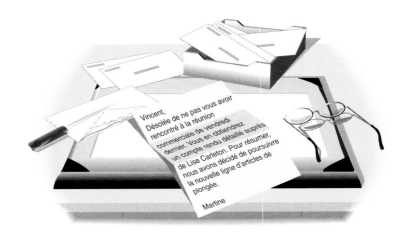

LIRE DES MESSAGES

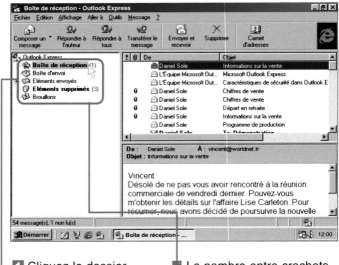

1 Cliquez le dossier contenant les messages que vous souhaitez lire. Le dossier apparaît en surbrillance.

Le nombre entre crochets qui apparaît à côté du dossier indique combien de messages non lus le dossier contient. Ce nombre disparaît quand vous avez lu tous les messages du dossier.

Vous pouvez ouvrir très facilement les messages qui vous été adressés afin d'en lire le contenu.

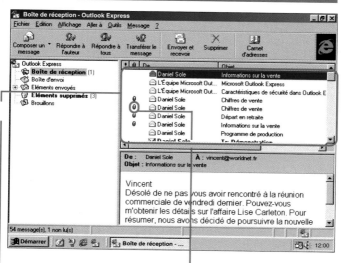

■ Cette zone fait apparaître les messages du dossier sélectionné. Les messages que vous n'avez pas lus sont précédés d'une enveloppe fermée (✉), et ils apparaissent en **gras**.

■ Les messages auxquels un fichier a été joint sont précédés d'un trombone (📎).

LIRE DES MESSAGES

Boîte de réception
Stocke les messages qui vous ont été envoyés.

Boîte d'envoi
Stocke temporairement les messages rédigés qui n'ont pas encore été envoyés.

Éléments envoyés
Stocke une copie des messages que vous avez envoyés.

LIRE DES MESSAGES (SUITE)

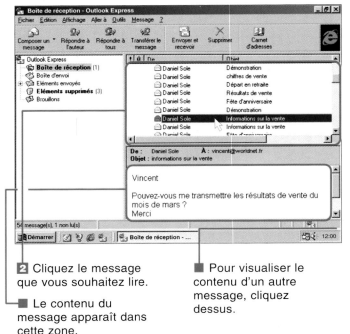

2 Cliquez le message que vous souhaitez lire.

■ Le contenu du message apparaît dans cette zone.

■ Pour visualiser le contenu d'un autre message, cliquez dessus.

Éléments supprimés
Stocke les messages que vous avez supprimés.

Brouillons
Stocke les messages que vous n'avez pas encore terminé de rédiger.

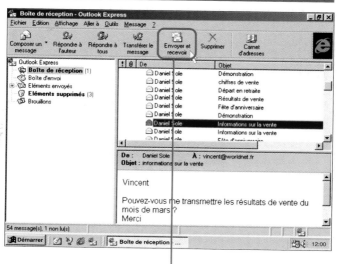

OBTENIR DE NOUVEAUX MESSAGES

Outlook Express contrôle automatiquement s'il y a de nouveaux messages toutes les 30 minutes.

1 Pour contrôler immédiatement si vous avez reçu de nouveaux messages, cliquez **Envoyer et recevoir**.

COMPOSER UN MESSAGE

COMPOSER UN MESSAGE

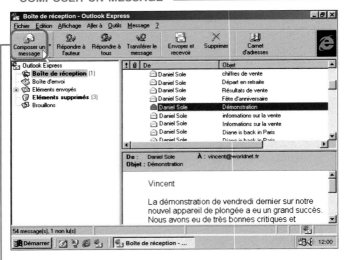

1 Cliquez **Composer un message**.

■ La fenêtre Nouveau message apparaît.

Vous pouvez envoyer un message pour échanger des idées ou demander des renseignements.

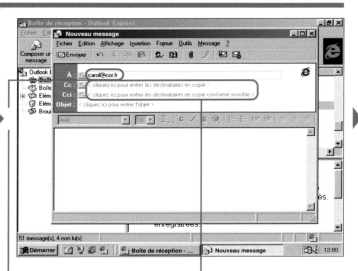

2 Saisissez l'adresse électronique de la personne à qui vous souhaitez envoyer le message.

Note. Pour sélectionner un nom dans le carnet d'adresses, consultez la page 134. Passez ensuite à l'étape 4.

3 Pour envoyer une copie du message à une autre personne, cliquez l'une de ces zones, puis saisissez son adresse électronique.

Note. Pour plus d'informations sur les copies de messages, consultez le haut de la page 137.

COMPOSER UN MESSAGE

Anniversaire en Cours

Chers famille et amis

Lettre de Vacances

Annonce

Votre message

Annonce Formelle

COMPOSER UN MESSAGE (SUITE)

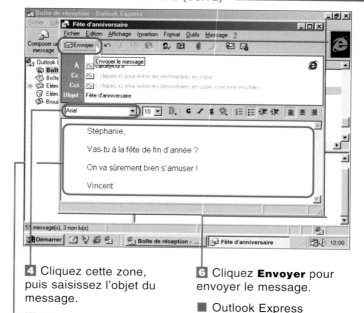

4 Cliquez cette zone, puis saisissez l'objet du message.

5 Cliquez cette zone, puis saisissez le message.

6 Cliquez **Envoyer** pour envoyer le message.

■ Outlook Express stocke une copie de chaque message envoyé dans le dossier Éléments envoyés.

Outlook Express permet
d'utiliser différents types de
papier à lettres, comme ceux
illustrés ci-contre.

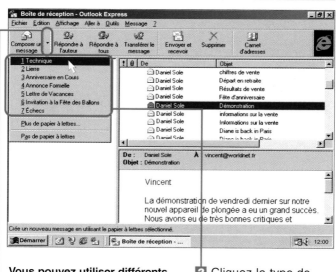

**Vous pouvez utiliser différents
types de papier à lettres pour
agrémenter les messages
électroniques que vous envoyez.**

■1 Cliquez ⌐ dans cette zone
pour faire apparaître la liste
des papiers à lettres
disponibles.

■2 Cliquez le type de
papier à lettres que vous
souhaitez utiliser.

■ Composez le message
comme vous le feriez
pour un message normal.

AJOUTER UN NOM
AU CARNET D'ADRESSES

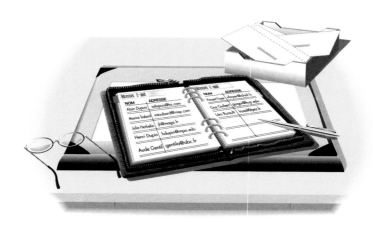

AJOUTER UN NOM AU CARNET D'ADRESSES

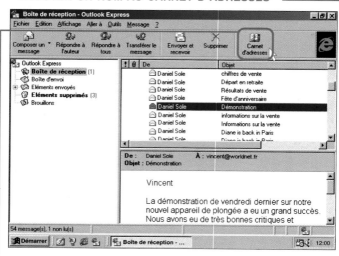

1 Cliquez **Carnet d'adresses**.

■ La fenêtre Carnet d'adresses apparaît.

Vous pouvez utiliser le
carnet d'adresses pour
stocker les adresses
électroniques des personnes
auxquelles vous envoyez
fréquemment des messages.

2 Cliquez **Nouveau
contact** pour ajouter
un nom au carnet
d'adresses.

■ La boîte de dialogue
Propriétés apparaît.

AJOUTER UN NOM AU CARNET D'ADRESSES

AJOUTER UN NOM AU CARNET D'ADRESSES (SUITE)

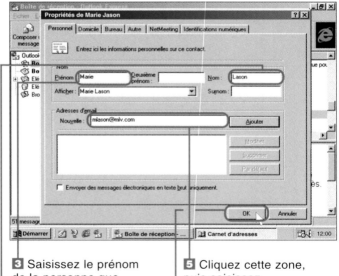

3 Saisissez le prénom de la personne que vous souhaitez ajouter au carnet d'adresses.

4 Cliquez cette zone, puis saisissez le nom de la personne.

5 Cliquez cette zone, puis saisissez l'adresse électronique de la personne.

6 Cliquez **OK** pour ajouter le nom au carnet d'adresses.

**Le carnet d'adresses permet de
ne pas avoir à taper plusieurs fois
la même adresse.**

Il limite ainsi les erreurs de frappe,
qui peuvent faire parvenir le message
à un mauvais destinataire ou le faire
revenir à l'envoyeur. Quand un
message est retourné à l'envoyeur,
il est généralement accompagné du
message " Destinataire inconnu ".

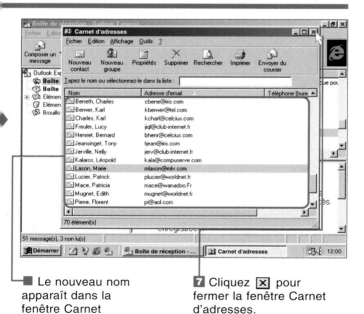

■ Le nouveau nom
apparaît dans la
fenêtre Carnet
d'adresses.

7 Cliquez ⊠ pour
fermer la fenêtre Carnet
d'adresses.

SÉLECTIONNER UN NOM
DANS LE CARNET D'ADRESSES

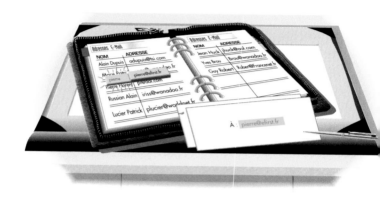

SÉLECTIONNER UN NOM DANS LE CARNET D'ADRESSES ▪

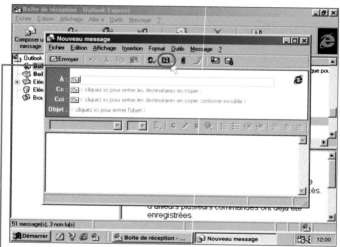

◼ **1** Dans la fenêtre Nouveau message, cliquez 🕮 pour sélectionner un nom dans le carnet d'adresses.

Note. Pour faire apparaître le carnet d'adresses, suivez l'étape 1 de la page 130.

■ La boîte de dialogue Sélectionner les destinataires apparaît.

Lorsque vous envoyez
un message électronique,
vous pouvez sélectionner
le nom du destinataire
dans le carnet d'adresses.

Le carnet d'adresses évite
de devoir mémoriser toutes
les adresses électroniques
que vous utilisez souvent.

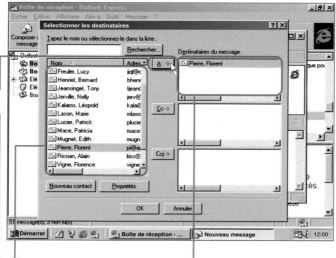

■2 Cliquez le nom de la
personne à qui vous
destinez le message.

■3 Cliquez **À**.

■ Cette zone affiche le
nom de la personne que
vous avez sélectionnée.

■ Vous pouvez répéter
les étapes **2** et **3** pour
chaque personne à qui
vous souhaitez envoyer
le message.

SÉLECTIONNER UN NOM
DANS LE CARNET D'ADRESSES

Outlook permet
d'envoyer un
message de
plusieurs façons.

À
Envoie le message
à la personne
spécifiée.

SÉLECTIONNER UN NOM DANS LE CARNET D'ADRESSES

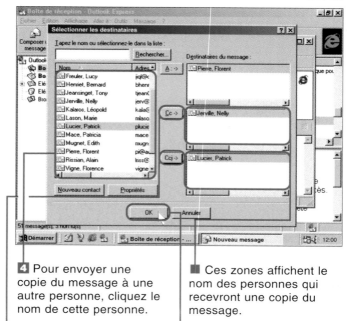

4 Pour envoyer une
copie du message à une
autre personne, cliquez le
nom de cette personne.

5 Cliquez une option
pour indiquer comment le
message doit être envoyé.

■ Ces zones affichent le
nom des personnes qui
recevront une copie du
message.

6 Cliquez **OK** pour
confirmer les
modifications.

Copie conforme (Cc)
Envoie une copie exacte du message à une personne qui n'est pas concernée directement par le message mais qui peut être intéressée par son contenu.

Copie conforme invisible (Cci)
Envoie une copie exacte du message à une autre personne sans que personne d'autre ne le sache.

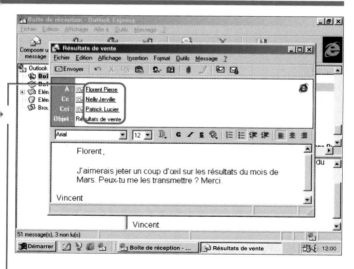

■ Cette zone affiche le nom des personnes que vous avez sélectionnées dans le carnet d'adresses.

■ Vous pouvez maintenant finir de composer le message.

JOINDRE UN FICHIER À UN MESSAGE

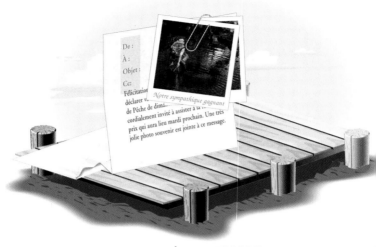

Notre sympathique gagnant

JOINDRE UN FICHIER À UN MESSAGE

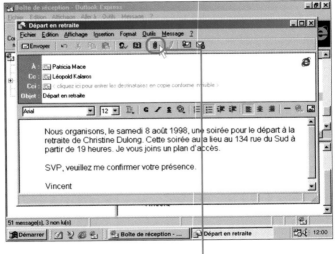

1 Pour composer un message, revenez à la page 126 et suivez les étapes **1** à **5**.

2 Cliquez 📎 pour joindre un fichier au message.

■ La boîte de dialogue Insérer une pièce jointe apparaît.

138

Vous pouvez joindre un
fichier à un message que
vous envoyez. Les pièces
jointes permettent d'ajouter
plus d'informations à un
message.

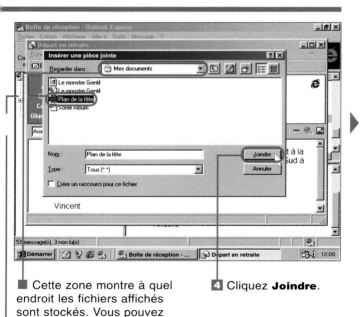

■ Cette zone montre à quel
endroit les fichiers affichés
sont stockés. Vous pouvez
cliquer dessus pour changer
de dossier.

4 Cliquez **Joindre**.

3 Cliquez le nom du fichier
que vous souhaitez joindre au
message.

JOINDRE UN FICHIER À UN MESSAGE

Pièces jointes

JOINDRE UN FICHIER À UN MESSAGE (SUITE)

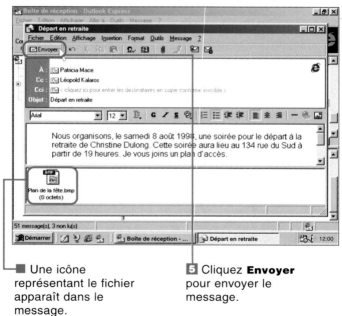

■ Une icône représentant le fichier apparaît dans le message.

5 Cliquez **Envoyer** pour envoyer le message.

Vous pouvez joindre des fichiers tels
que des documents, des images,
des programmes, des sons et des
séquences vidéo.

L'ordinateur qui recevra le message
devra posséder le matériel et les
logiciels adéquats pour afficher ou
lire la pièce jointe.

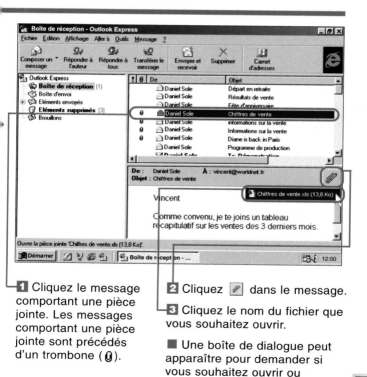

1 Cliquez le message
comportant une pièce
jointe. Les messages
comportant une pièce
jointe sont précédés
d'un trombone (0).

2 Cliquez 🖉 dans le message.

3 Cliquez le nom du fichier que
vous souhaitez ouvrir.

■ Une boîte de dialogue peut
apparaître pour demander si
vous souhaitez ouvrir ou
enregistrer le fichier.

141

RÉPONDRE À UN MESSAGE

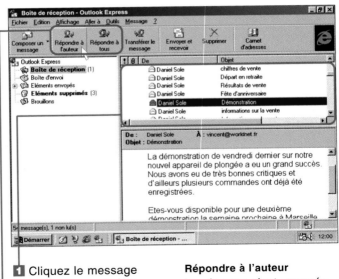

RÉPONDRE À UN MESSAGE

1 Cliquez le message auquel vous souhaitez répondre.

2 Cliquez l'option de réponse que vous souhaitez utiliser.

Répondre à l'auteur

La réponse n'est envoyée qu'à l'auteur du message.

Répondre à tous

La réponse est envoyée à l'auteur et à toutes les personnes qui ont reçu le message original.

Vous pouvez répondre
à un message pour
apporter une réponse à
une question ou pour faire
part de commentaires.

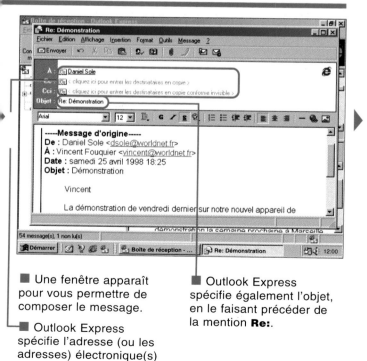

■ Une fenêtre apparaît
pour vous permettre de
composer le message.

■ Outlook Express
spécifie l'adresse (ou les
adresses) électronique(s)
à votre place.

■ Outlook Express
spécifie également l'objet,
en le faisant précéder de
la mention **Re:**.

RÉPONDRE À UN MESSAGE

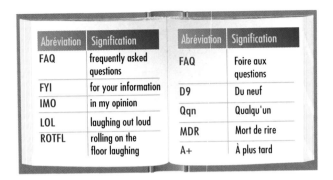

Abréviation	Signification	Abréviation	Signification
FAQ	frequently asked questions	FAQ	Foire aux questions
FYI	for your information	D9	Du neuf
IMO	in my opinion	Qqn	Qualqu'un
LOL	laughing out loud	MDR	Mort de rire
ROTFL	rolling on the floor laughing	A+	À plus tard

RÉPONDRE À UN MESSAGE (SUITE)

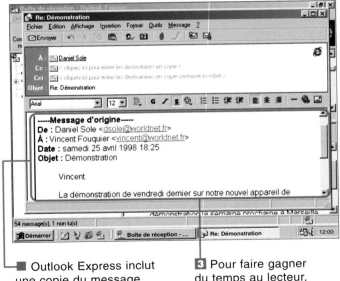

■ Outlook Express inclut une copie du message original pour aider le lecteur à identifier le message auquel vous répondez. Un symbole > apparaît devant chacune des lignes du texte cité.

3 Pour faire gagner du temps au lecteur, supprimez toutes les parties du message original qui ne se rapportent pas directement à votre réponse.

N'hésitez pas à reprendre
le message original et à le
découper pour permettre
à l'auteur de savoir très
précisément à quelle partie
de son message vous faites
référence.

4 Cliquez cette zone,
puis saisissez votre
réponse.

5 Cliquez **Envoyer**
pour envoyer votre
réponse.

TRANSFÉRER UN MESSAGE

TRANSFÉRER UN MESSAGE

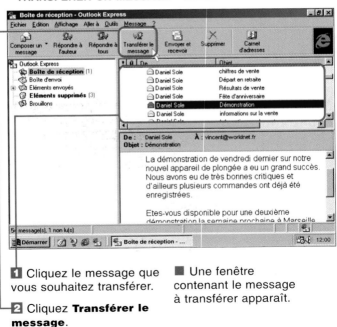

1 Cliquez le message que vous souhaitez transférer.

2 Cliquez **Transférer le message**.

■ Une fenêtre contenant le message à transférer apparaît.

Après avoir lu un message, vous pouvez y ajouter des commentaires, puis le transférer à un ami ou à un collègue.

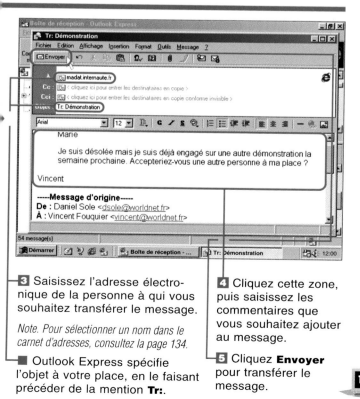

3 Saisissez l'adresse électronique de la personne à qui vous souhaitez transférer le message.

Note. Pour sélectionner un nom dans le carnet d'adresses, consultez la page 134.

■ Outlook Express spécifie l'objet à votre place, en le faisant précéder de la mention **Tr:**.

4 Cliquez cette zone, puis saisissez les commentaires que vous souhaitez ajouter au message.

5 Cliquez **Envoyer** pour transférer le message.

147

SUPPRIMER UN MESSAGE

SUPPRIMER UN MESSAGE

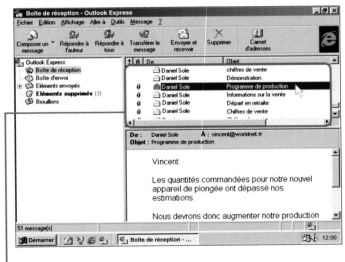

1 Cliquez le message que vous souhaitez supprimer.

2 Appuyez sur la touche `Suppr`.

Quand vous n'avez plus
besoin d'un message, vous
pouvez le supprimer. Ainsi,
le disque dur de l'ordinateur
ne sera pas encombré de
message inutiles.

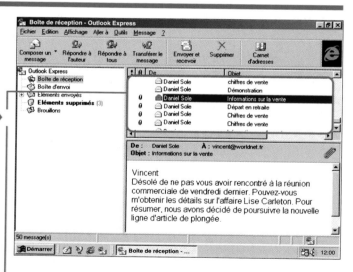

■ Outlook Express
retire le message du
dossier en cours et le
place dans le dossier
Eléments supprimés.

*Note. Si vous supprimez un
message du dossier Éléments
supprimés, il sera supprimé
définitivement de l'ordinateur.*

AJOUTER UNE SIGNATURE AUX MESSAGES

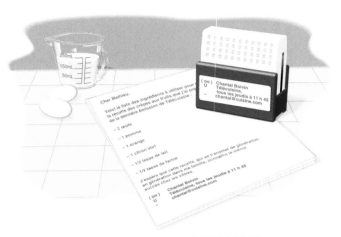

AJOUTER UNE SIGNATURE AUX MESSAGES

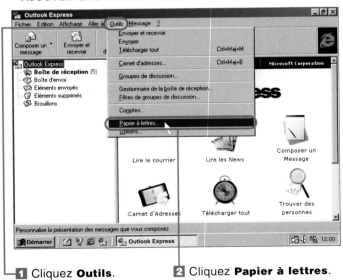

1 Cliquez **Outils**.

2 Cliquez **Papier à lettres**.

■ La boîte de dialogue
Papier à lettres apparaît.

Vous pouvez demander à Outlook Express
d'ajouter des informations sur vous à la
fin de chaque message que vous envoyez.

L'utilisation d'une signature permet
de ne pas avoir à saisir les mêmes
informations à chaque envoi d'un
message.

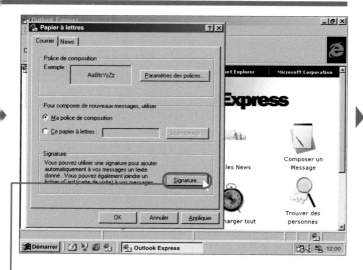

3 Cliquez **Signature**
pour créer une
signature.

■ La boîte de dialogue
Signature apparaît.

AJOUTER UNE SIGNATURE AUX MESSAGES

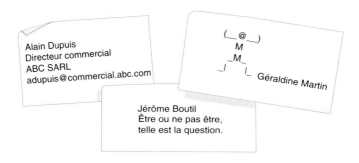

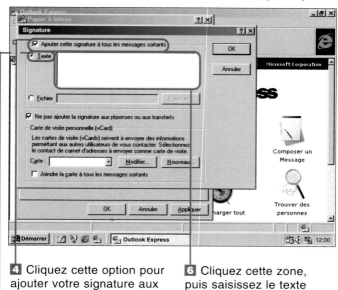

4 Cliquez cette option pour ajouter votre signature aux messages que vous envoyez (☐ devient ☑).

5 Cliquez cette option pour saisir le texte de votre signature (○ devient ⊙).

6 Cliquez cette zone, puis saisissez le texte de votre signature.

La signature peut comporter des
informations telles que votre nom, votre
adresse électronique, votre profession,
votre citation favorite ou l'adresse
de votre page Web.

Vous pouvez également utiliser les
caractères du clavier pour réaliser
des petits dessins. Par courtoisie
envers les destinataires de vos
messages, limitez-vous à quatre
lignes pour créer votre signature.

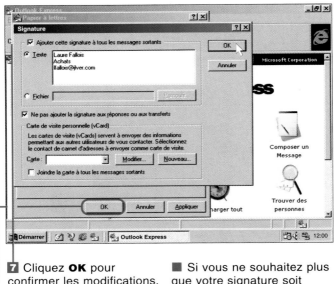

7 Cliquez **OK** pour
confirmer les modifications.

8 Cliquez **OK** pour fermer
la boîte de dialogue Papier
à lettres.

■ Si vous ne souhaitez plus
que votre signature soit
ajoutée aux messages que
vous envoyez, suivez les
étapes **1** à **4** (☑ devient ☐),
puis les étapes **7** et **8**.

PRÉSENTATION

Une liste de diffusion est un groupe de discussion qui utilise le courrier électronique pour communiquer.

Il existe des milliers de listes de diffusion couvrant une grande quantité de sujets. Cela va de l'aromathérapie à Led Zeppelin. De nouvelles listes de diffusion se créent chaque semaine.

FONCTIONNEMENT DES LISTES DE DIFFUSION

Lorsqu'une liste de diffusion reçoit un message, une copie de ce message est envoyée à chaque personne de la liste.

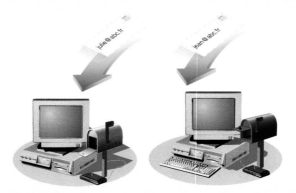

Certaines listes de diffusion vous permettent d'envoyer et de recevoir des messages. Cependant, un grand nombre de listes de diffusion n'autorisent que la réception des messages.

TROUVER DES LISTES DE DIFFUSION

Vous trouverez un ensemble de listes de diffusion sur le site Web suivant :

www.neosoft.com/internet/paml

Vous pouvez rechercher des listes de diffusion qui échangent des propos sur un sujet précis à l'adresse suivante :

www.cru.fr/listes/

QUELQUES LISTES DE DIFFUSION

Un mot par jour

Pour apprendre l'anglais, tous les
jours un mot et sa définition
(en anglais).
Contact : wsmith@wordsmith.org
Saisissez dans la ligne Objet : subscribe Votre Nom

Cuisine

Échange de recettes et
d'astuces de cuisine.
Contact :
cuisine-sbscribe@rtc-one.net
Envoyer un message vide

Dinosaure

Discussion sur les dinosaures et autres
animaux préhistoriques (en anglais).
Contact : listproc@usc.edu
Envoyer un message contenant :
SUBSCRIBE DINOSAUR Votre Nom

Jardin

Discussion sur le jardinage.
Contacter : lyris@freenet.fr
Envoyer un message contenant :
subscribe jardin.fr

Sport

Discussion sur l'équipe
de France de football.
Consultez la page :
http://www.allezfrance.org/mailing_list.htm

Blague

Une blague par jour
(français / anglais alterné).
Contacter :
blagues-l-request@gurus.com
Envoyer un message contenant : subscribe

Train

Discussion sur les modèles
réduits de trains.
Consultez la page :
http://wwwperson.hol.fr/~fmarion/
modeltrain.htm

X-Files

Discussion sur la série X-Files
(Aux frontières du réel).
Consultez la page :
http://home.nordnet.fr/~ddehon/mlist.htm

S'ABONNER AUX LISTES DE DIFFUSION

De même que vous vous abonnez aux journaux
ou aux magazines, vous vous abonnez aux
listes de diffusion qui vous intéressent.

Quand vous vous abonnez, votre adresse
de courrier électronique est ajoutée dans
la liste de diffusion.

Annuler l'abonnement

Si vous ne souhaitez plus recevoir des messages
d'une liste de diffusion, vous pouvez annuler
l'abonnement à tout instant.
Votre adresse de courrier électronique sera alors
retirée de la liste.

ADRESSE DE COURRIER ÉLECTRONIQUE D'UNE LISTE

Chaque liste de diffusion possède deux adresses. Assurez-vous d'envoyer les messages à la bonne adresse.

Adresse de diffusion

L'adresse de diffusion reçoit les messages destinés à la totalité des abonnés de la liste de diffusion. Il s'agit de l'adresse que vous utilisez pour envoyer des messages lorsque vous souhaitez que toutes les personnes de la liste les reçoivent. Ne l'utilisez pas pour régler les problèmes touchant votre abonnement.

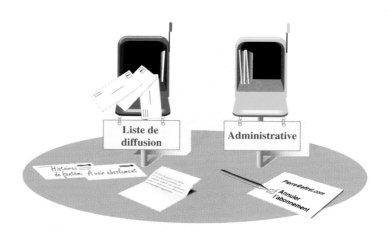

Adresse administrative

L'adresse administrative reçoit les messages ayant trait à la gestion de votre abonnement.

S'ABONNER AUX LISTES DE DIFFUSION

Message de bienvenue

Lorsque vous vous abonnez à une liste de diffusion,
vous recevez généralement un message de bienvenue
pour confirmer que votre adresse de
courrier électronique est ajoutée à
la liste. Ce message peut
expliquer les règles de la
liste de diffusion ainsi que
la méthode à suivre pour
l'envoi des messages.

Vérifier les messages

Une fois que vous êtes abonné à une liste de diffusion,
vérifiez périodiquement votre boîte aux lettres.
Vous pouvez recevoir des dizaines de messages
sur une courte période.

Compilation

Si vous recevez de nombreux messages d'une liste,
vérifiez si la liste est disponible sous une forme compilée.
Dans ce cas, les messages individuels sont regroupés et
envoyés sous la forme d'un message unique.

Vacances

Lorsque vous êtes en vacances, assurez-vous de vous
désabonner temporairement de toutes vos listes de
diffusion, afin d'éviter de surcharger votre boîte aux lettres.

TYPES DE LISTES DE DIFFUSION

La liste de diffusion peut être gérée manuellement par une personne.

Une liste gérée manuellement contient généralement le mot " request " dans son adresse de courrier électronique (exemple : romans-critiques-request@lists.fac.edu).

S'abonner à une liste

Lorsque vous vous abonnez à une liste de ce type, assurez-vous d'indiquer dans le message à l'administrateur les informations nécessaires à la prise en compte de votre abonnement.

Un programme informatique peut aussi gérer une liste automatiquement. Les trois programmes les plus utilisés pour la gestion des listes automatiques sont les suivants : Listproc, Listserv et Majordomo.

Une liste automatique contient le nom du programme de gestion dans l'adresse de courrier électronique (exemple : majordomo@apk.com).

S'abonner à une liste

Lorsque vous vous abonnez à une liste automatique, assurez-vous d'indiquer dans le message toutes les informations nécessaires à la gestion de votre abonnement par le programme automatique. Si le programme ne comprend pas votre message, il peut ne pas répondre à votre demande.

La plupart des listes de diffusion permettent à toute personne possédant une adresse de courrier électronique de s'abonner. Toutefois, certaines listes de diffusion limitent l'abonnement aux personnes d'une certaine catégorie. Par exemple, une liste de diffusion sur la chirurgie est réservée aux médecins.

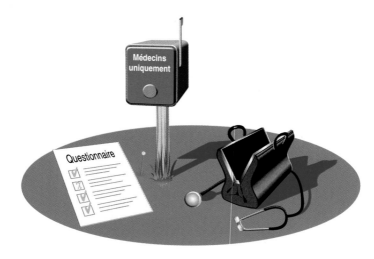

Il peut être nécessaire de répondre à un questionnaire pour adhérer à une liste de diffusion privée.
Une personne lit les réponses et décide si vous possédez les qualifications nécessaires pour vous abonner.

LISTE DE DIFFUSION MODÉRÉE

Certaines listes de diffusion sont modérées. Une personne lit les messages envoyés et décide s'ils sont conformes à l'objet de la liste. Si c'est le cas, le message est expédié à toutes les personnes.

Une liste de diffusion modérée permet de centrer les discussions sur le sujet de la liste et d'éliminer les messages contenant des idées déjà développées.

Dans une liste de discussion non modérée, tous les messages sont automatiquement envoyés à toutes les personnes de la liste.

PRÉSENTATION

Un groupe de discussion (newsgroup) permet aux personnes ayant des centres d'intérêt communs de communiquer.

Usenet, abréviation de *User's Network* (réseau des utilisateurs) fait référence à tous les ordinateurs distribuant les informations des groupes de discussion.

Il existe des milliers de groupes de discussion sur tous les sujets imaginables. Chaque groupe discute d'un sujet précis, par exemple les offres d'emploi, les puzzles ou la médecine.

NOMS DES GROUPES DE DISCUSSION

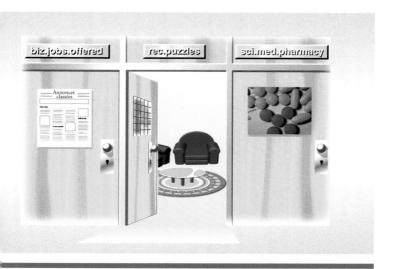

Le nom d'un groupe de discussion décrit le type d'information qu'il contient. Ce nom est constitué d'un ou plusieurs mots séparés par des points (.).

Le premier mot décrit le sujet principal (par exemple rec pour récréation). Les mots suivants précisent le sujet.

PRÉSENTATION

Un groupe de discussion peut contenir
des centaines, voire des milliers de messages.

Message

Un message est une information postée,
ou envoyée, à un groupe de discussion par
une personne. Il peut être de quelques lignes
ou de l'importance d'un livre. Les messages
s'appellent également des articles.

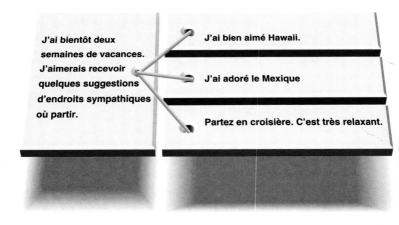

J'ai bientôt deux semaines de vacances. J'aimerais recevoir quelques suggestions d'endroits sympathiques où partir.

J'ai bien aimé Hawaii.

J'ai adoré le Mexique

Partez en croisière. C'est très relaxant.

Fil

Un fil est constitué d'un message et de toutes
ses réponses. Ce fil peut contenir la question
d'origine et les réponses des autres lecteurs.

LECTEUR DE NEWS

Un lecteur de *news* est un programme qui permet de lire et de poster des messages dans les groupes de discussion.

Outlook Express de Microsoft Internet Explorer offre un lecteur de *news* intégré. D'autres lecteurs de *news* très utilisés sont MicroPlanet Gravity et Forté Free Agent.

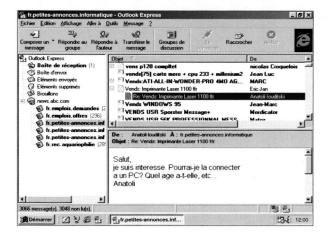

■ Cette zone affiche la liste des groupes de discussion.

■ Cette zone affiche la liste de tous les messages du groupe de discussion sélectionné.

■ Cette zone affiche le contenu d'un message.

S'ABONNER

Vous pouvez vous abonner à un groupe de discussion dont vous souhaitez lire régulièrement les messages.

Si vous ne souhaitez plus lire les messages d'un groupe de discussion, vous pouvez annuler votre abonnement à tout instant.

GROUPES DE DISCUSSION MODÉRÉS

Certains groupes de discussion sont modérés.
Un modérateur (bénévole) lit chacun des messages
et décide s'il est conforme au groupe. Si c'est le cas,
le message est posté pour que toutes les personnes
le lisent.

Les groupes de discussion modérés peuvent afficher
le mot " moderated " à la fin du nom du groupe
(exemple : misc.taxes.moderated).

Dans un groupe de discussion non modéré, tous les
messages sont automatiquement envoyés aux abonnés.

CATÉGORIES

alt (alternative)

Discussions d'intérêt général qui peuvent contenir des sujets inhabituels ou étranges.

Exemples :

alt.fan.actors
alt.music.alternative

news

Aborde les problèmes liés aux groupes de discussion en général. Les sujets vont des informations sur le réseau des groupes de discussion jusqu'à la manière d'utiliser ce réseau.

Exemples :

news.announce.newgroups / news.newusers.questions

sci (science)

Discussion sur la science, dont la recherche, les sciences appliquées et les sciences sociales.

Exemples :

sci.med.dentistry
sci.physics

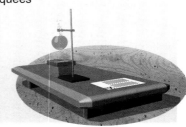

comp (computers)

Discussion sur l'informatique : logiciels, matériel et science informatique.

Exemples :

comp.security.misc
comp.sys.laptops

rec (recreation)

Discussion sur les activités ludiques et les hobbies.

Exemples :

rec.food.recipes
rec.skydiving

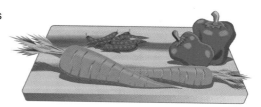

soc (social)

Discussion sur les questions sociales, dont la culture et les sujets politiques.

Exemples :

soc.history
soc.women

UTILISER LES MESSAGES

LIRE UN MESSAGE

Vous lirez les messages pour prendre connaissance de l'avis et des idées de milliers de personnes de par le monde.

De nouveaux messages sont envoyés dans les groupes de discussion tous les jours. Vous pouvez parcourir les messages qui vous intéressent comme vous le faites avec un quotidien.

IMPRIMER UN MESSAGE

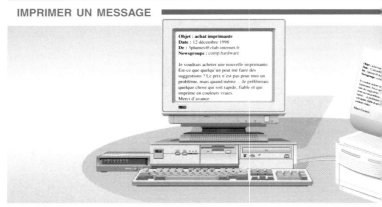

Objet : achat imprimante
Date : 12 décembre 1998
De : 3plumes@club-internet.fr
Newsgroups : comp.hardware

Je voudrais acheter une nouvelle imprimante. Est-ce que quelqu'un peut me faire des suggestions ? Le prix n'est pas pour moi un problème, mais quand même... Je préférerais quelque chose qui soit rapide, fiable et qui imprime en couleurs vraies.
Merci d'avance.

POSTER UN MESSAGE

Vous postez, c'est-à-dire vous envoyez un message à un groupe de discussion pour poser une question ou exprimer une opinion. Des milliers de personnes à travers le monde pourront lire ce message.

Si vous souhaitez vous entraîner, envoyez un message dans le groupe **fr.test**. Vous recevrez une réponse automatisée vous indiquant que le message est correctement posté. N'envoyez pas de message test dans les autres groupes de discussion.

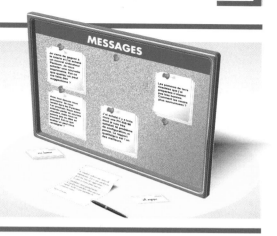

Si un message vous intéresse,
il est possible d'en sortir une copie papier.

UTILISER LES MESSAGES

Vous répondez à un message pour apporter une réponse, exprimer une opinion ou fournir des renseignements complémentaires.

N'envoyez un message que lorsque vous avez quelque chose d'important à dire.

Retrait

Lorsque vous répondez à un message, n'oubliez pas de joindre des parties du message d'origine – ce qui s'appelle la mise en retrait. Elle facilite l'identification du message auquel vous répondez. Pour que le lecteur ne perde pas de temps, supprimez toutes les parties du message qui n'ont pas de lien avec votre réponse ou auxquelles vous ne répondez pas.

Réponse privée

Vous pouvez envoyer une réponse à l'auteur du message, au groupe de discussion ou aux deux.

Si votre réponse n'a aucun intérêt pour les autres personnes d'un groupe de discussion ou bien si vous souhaitez envoyer une réponse privée, envoyez le message à l'auteur plutôt que de poster votre réponse dans le groupe de discussion.

essage d'origine

*s pommes de terre
olées que j'ai
parées n'étaient pas
bonnes. Comment les
re plus savoureuses ?*

Réponse

Les pommes de terre
rissolées que j'ai
préparées n'étaient
pas très bonnes.
Comment les rendre
plus savoureuses ?

Ajoutez quelques cèpes
frais cuits, ail et persil.

Bon appétit !

RESPECTER L'ÉTIQUETTE

L'étiquette des groupes de
discussion indique le bon usage à
observer pour l'envoi de messages.

STYLE DU MESSAGE

Des milliers de personnes dans le monde peuvent lire
votre message. Avant de le poster, prenez soin de le relire.

Assurez-vous que votre message est clair, concis
et dépourvu de fautes d'orthographe.

Prenez garde que votre
message ne soit pas mal
interprété. Par exemple, le
destinataire peut ne pas
s'apercevoir que vous donnez
un ton humoristique ou
sarcastique à un passage.

MESSAGE

Je viens de gagner à la loterie
et j'ai acheté un nouvel ordinateur
Pentium. Je veux acheter une
nouvelle imprimante. Est-ce que
quelqu'un peux me faire des
suggestions ? Le prix n'est pas
pour moi un problème, mais
quand même... Je préfér()ais
quelque chose qui sois rapide,
fiable et qui imprime en couleurs
vraies. Merci d'avance.

⊘ -Erreurs grammaticales
? -Erreurs d'orthographe

Groupe de discussion
Étiquette

OBJET

L'objet du message est le premier élément que toute personne lit. Assurez-vous que l'intitulé de l'objet décrit clairement le contenu de votre message. Par exemple, le sujet " Lisez ceci " ou " Pour information " n'est pas très explicite.

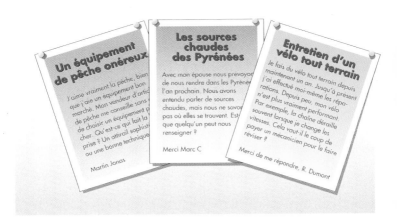

Un équipement de pêche onéreux

J'aime vraiment la pêche, bien que j'aie un équipement bon marché. Mon vendeur d'articles de pêche me conseille sans cesse de choisir un équipement plus cher. Qu'est-ce qui fait la prise ? Un attirail sophistiqué ou une bonne technique ?

Martin Jonas

Les sources chaudes des Pyrénées

Avec mon épouse nous prévoyons de nous rendre dans les Pyrénées l'an prochain. Nous avons entendu parler de sources chaudes, mais nous ne savons pas où elles se trouvent. Est-ce que quelqu'un peut nous renseigner ?

Merci Marc C

Entretien d'un vélo tout terrain

Je fais du vélo tout terrain depuis maintenant un an. Jusqu'à présent j'ai effectué moi-même les réparations. Depuis peu, mon vélo n'est plus vraiment performant. Par exemple, la chaîne déraille souvent lorsque je change les vitesses. Cela vaut-il le coup de payer un mécanicien pour le faire réviser ?

Merci de me répondre, R. Dumont

RESPECTER L'ÉTIQUETTE

LIRE LES MESSAGES

Avant d'envoyer votre propre message, lisez pendant environ une semaine les messages du groupe de discussion. Vous apprendrez comment les personnes du groupe communiquent, et cela vous évitera de poster des informations que les autres ont déjà lues.

CHOISIR LE BON GROUPE DE DISCUSSION

Prenez garde de poster le message dans le bon groupe – ainsi vous serez sûr que les personnes intéressées liront vos questions ou vos commentaires.

Ne postez pas de messages inadéquats dans des groupes. On désigne ce type de message du nom de *spam*. Ils sont particulièrement irritants lorsqu'ils sont envoyés à des fins commerciales, par exemple pour vendre des produits ou des services.

LIRE LES FAQ

Une FAQ (foire aux questions) est un document contenant une liste de questions et de réponses qui apparaissent souvent dans les groupes de discussion.

Les FAQ sont destinées à éviter que les nouveaux lecteurs posent des questions auxquelles des réponses ont déjà été fournies. Efforcez-vous de lire les FAQ avant de poster un message dans un groupe.

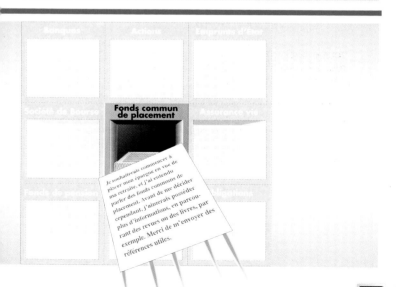

CONVERSATION

Vous pouvez communiquer instantanément
avec des personnes du monde entier à l'aide
de votre clavier – on dit " converser ".

La conversation est une des fonctionnalités
les plus utilisées d'Internet. Vous utiliserez la
fonction Conversation pour communiquer avec
votre famille, vos amis ou vos collègues.
Qu'ils soient dans d'autres villes ou pays, vous
ne payez pas de frais d'appel longue distance.

Mode texte

La conversation utilisant le mode texte est le type le plus
ancien et le plus répandu sur Internet. Vous pouvez avoir
des conversations avec plusieurs personnes. Lorsque
vous conversez, le texte que vous saisissez apparaît
aussitôt sur l'écran de chacun des participants.

Surnoms

Les personnes participant à une conversation utilisent souvent des noms d'emprunt ou des surnoms.
Vous ne devez pas penser que les personnes sont réellement ce qu'elles disent être.

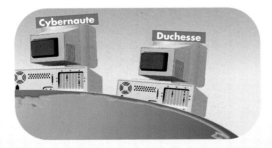

Si une autre personne utilise déjà le surnom que vous souhaitez emprunter, vous devez en choisir un autre.

CONVERSATION

Internet Relay Chat (IRC) est un système de conversation
répandu sur Internet. Vous pouvez rejoindre des salles de
conversation, ou des chaînes, sur l'IRC. Chaque salle aborde
un domaine précis, par exemple la musique ou la politique.

Un programme d'IRC est
indispensable pour par-
ticiper aux conversations.
Vous pouvez en obtenir
un à l'adresse
www.mirc.co.uk

La messagerie instantanée vous permet de converser
en privé avec une autre personne sur Internet.

Un programme spécifique est nécessaire pour la messagerie instantanée. Vous en trouverez un à l'adresse :
www.icq.com

CONVERSATIONS UTILISANT LE WEB

Il existe, sur le Web, des sites qui vous permettent de converser avec d'autres personnes. Seul votre navigateur Web est nécessaire.

Vous pouvez converser sur le Web à l'adresse www.wbs.net

CONVERSATIONS MULTIMÉDIAS

Les conversations multimédias vous permettent d'avoir des conversations vocales et d'utiliser de la vidéo sur Internet. Un équipement spécifique est nécessaire : haut-parleurs et caméra vidéo.

Vous pouvez obtenir Microsoft NetMeeting, programme de conférence multimédia fréquemment utilisé, à l'adresse www.microsoft.com/netmeeting

PRÉSENTATION DU FTP

Le protocole de transfert de fichiers (FTP) vous permet de consulter des fichiers stockés sur des ordinateurs situés dans le monde entier et de copier sur votre propre ordinateur les fichiers qui vous intéressent.

SITE FTP

Un site FTP est un emplacement, sur Internet, où sont stockés des fichiers. Les sites FTP sont généralement gérés par des universités, des ministères et organismes publics des sociétés ou des particuliers. Il existe des milliers de sites FTP dispersés sur Internet.

Sites FTP anonymes

De nombreux sites FTP sont anonymes. Vous accédez aux fichiers sans saisir de mot de passe. Ces sites stockent de grandes quantités de fichiers que tout le monde peut télécharger gratuitement.

STOCKAGE DES FICHIERS

**Les fichiers des sites FTP
sont stockés dans
différents répertoires.**

De même que des dossiers rangent des
documents dans un classeur métallique,
les répertoires organisent les informations
sur un site FTP.

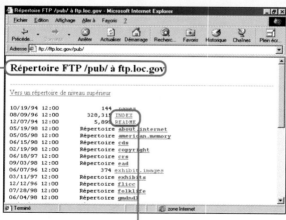

■ Les fichiers que
vous copiez sur
votre ordinateur
sont généralement
dans le répertoire
pub (public).

■ Les sites FTP bien conçus
possèdent des fichiers spéciaux
qui décrivent les fichiers proposés
sur le site. Recherchez des
fichiers appelés " readme ",
" lisezmoi " ou " index ".

■ Nom de fichier

Chaque fichier stocké sur un site FTP possède un **nom** et une **extension**, séparés par un point. Le nom décrit le contenu du fichier. Généralement, l'extension identifie le type de fichier.

manuel . txt

porsche.gif

SITES FTP TRÈS FRÉQUENTÉS

Parmi les sites FTP les plus fréquentés, on trouve :

Librairie du Congrès	fttp://ftp.loc.gov
Microsoft Corporation	fttp://ftp.microsoft.com
SunSITE	ftp://sunsite.unc.edu
The MIDI Farm	ftp://ftp.midifarm.com
Winsite	ftp://ftp.winsite.com

Le site Web suivant fournit une liste de sites FTP :

http://hoohoo.ncsa.uiuc.edu/ftp-interface.html

TYPES DE FICHIERS

Il existe un grand nombre de types de fichiers disponibles sur un site FTP.

TEXTE

Vous pouvez obtenir des documents utiles pour vos recherches et susceptibles de satisfaire votre curiosité : livres, journaux, magazines électroniques, manuels d'informatique, textes officiels, bulletins d'information ou mémoires universitaires. Recherchez ces extensions :

.asc .doc .htm .html .msg .txt .wpd

SON

Vous trouverez des thèmes musicaux, des effets sonores ou encore des extraits de discours célèbres, d'émissions de télévision ou de films.
Recherchez ces extensions :

.au .mid .ra .snd .wav

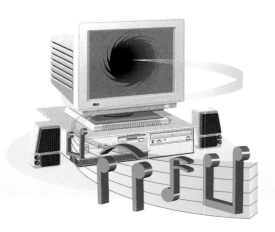

IMAGE

Vous obtiendrez des images : œuvres d'arts générées par ordinateurs, peintures de musée et photos de personnes célèbres. Cherchez ces extensions :

.bmp   .eps   .gif   .jpg   .pict   .png   .tif

VIDÉO

Les conversations multimédias vous permettent d'avoir des conversations vocales et d'utiliser de la vidéo sur Internet. Un équipement spécifique est nécessaire : haut-parleurs et caméra vidéo.

TYPES DE FICHIERS

Vous pouvez vous procurer des programmes pour les utiliser sur votre ordinateur : traitements de texte, tableurs, bases de données. Recherchez ces extensions :

.bat   .com   .exe

Logiciel du domaine public

Les programmes du domaine public sont gratuits et ne possèdent pas de droits d'auteur. Vous pouvez modifier et distribuer comme vous le souhaitez des programmes du domaine public.

Gratuit !

Gratuit !
(sous ces conditions)

◇ Inclure le nom de l'auteur (et du fichier) partout où le logiciel est distribué.

◇ Ne pas vendre le programme.

◇ Ne pas modifier le programme

◇ Ne pas e

Programme
freeware

Freeware

Les programmes en *freeware,* appelés aussi graticiels, sont gratuits mais possèdent des droits d'auteur. Certaines règles peuvent être imposées par l'auteur si vous souhaitez modifier ou distribuer un programme.

Shareware

Vous pouvez essayer un *shareware* (partagiciel) gratuitement pendant une période de temps limitée. Si le programme vous intéresse et que vous souhaitez continuer à l'utiliser, vous devrez le payer à l'auteur.

Essayez avant d'acheter

FICHIERS COMPRESSÉS

Les fichiers de grande taille stockés
sur les sites FTP sont compressés
pour occuper moins de place.

Compression d'un fichier

Un fichier compressé, donc plus petit, nécessite moins
d'espace de stockage et transite plus vite sur Internet.

Décompression d'un fichier

Avant d'utiliser sur votre ordinateur un fichier compressé
ou archivé, il convient de le décompacter ou de le décom-
presser en utilisant un programme spécifique.

Vous obtiendrez souvent gratuitement un programme
de décompression sur les sites où vous copiez les fichiers.
Les programmes de décompression les plus courants sont
WinZip et PKZip pour les PC, et StuffIt pour les Macintosh.

Fichiers archivés

Un programme est constitué généralement d'un certain nombre de fichiers. Les programmes sont souvent compressés, puis archivés (ou regroupés) en un seul fichier – ce qui évite de transférer individuellement chaque fichier sur votre ordinateur.

Les fichiers compressés ou archivés possèdent le plus souvent l'une des extensions suivantes :

.arc   .arj   .gz   .hqx   .sit   .tar   .z   .zip

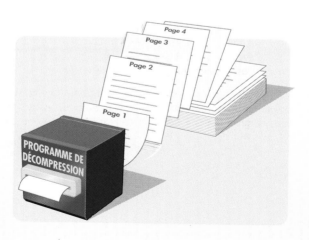

RECHERCHER DES FICHIERS

Il existe des sites Web vous permettant de rechercher des fichiers disponibles sur les sites FTP du monde entier, afin de vous procurer les fichiers qui vous intéressent.

ARCHIE

SHAREWARE.COM

Shareware.com vous permet de rechercher des fichiers précis ou de parcourir les fichiers stockés sur des sites FTP du monde entier.

Vous accédez à ce site en saisissant l'adresse suivante :

www.shareware.com

Archie permet de rechercher des fichiers spécifiques dont vous avez entendu parler. Pour cela, vous devez connaître au préalable le nom (ou partie du nom) du fichier que vous voulez trouver.

Archie est disponible aux adresses suivantes :

NASA
www.lerc.nasa.gov/archieplex

Université Rutgers
archie.rutgers.edu/archie.html

ASTUCES FTP

Chaque site FTP ne peut accueillir qu'un nombre limité de personnes en même temps. Si vous obtenez un message d'erreur lorsque vous essayez de vous connecter, c'est que le nombre maximal de personnes pouvant être connectées est probablement déjà atteint.

Se connecter aux heures creuses

Essayez d'accéder aux sites FTP en dehors des heures de bureau. Peu de personnes utilisent Internet vers 6 heures du matin ou le week-end.

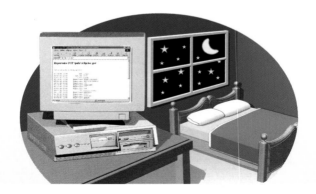

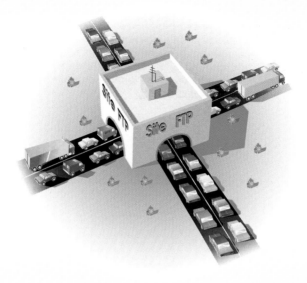

Utiliser les sites miroirs

Parmi les sites FTP les plus fréquentés, certains possèdent des sites miroirs, destinés à stocker les mêmes informations que le site originel mais qui sont moins occupés. Un site miroir peut également être géographiquement plus proche de votre ordinateur, ce qui peut permettre d'obtenir une connexion plus fiable et plus rapide.

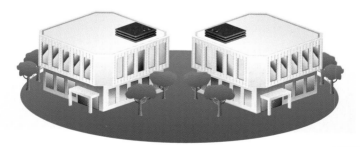

ASTUCES FTP

Le fait de pouvoir transférer un fichier sur votre
ordinateur n'implique pas de pouvoir l'utiliser. Assurez-
vous de télécharger uniquement les fichiers fonctionnant
sur votre type d'ordinateur. De nombreux sites FTP
possèdent des répertoires distincts pour les ordinateurs
Macintosh et les compatibles PC.

MATÉRIEL ET LOGICIEL

VIRUS

Les fichiers stockés sur les sites FTP peuvent contenir
des virus. Un virus est un programme perturbateur ou
destructeur qui risque d'affecter le fonctionnement
normal de l'ordinateur.

Périodiquement, vous devez effectuer des sauvegardes
des fichiers de votre ordinateur. N'oubliez pas de
contrôler l'absence de virus avant d'utiliser un fichier
provenant d'un site FTP. Des programmes antivirus
sont disponibles sur la plupart des grands sites FTP.

Un matériel ou un logiciel spécifique peut être nécessaire pour utiliser le fichier provenant d'un site FTP. Par exemple, vous aurez besoin d'une carte son et de haut-parleurs pour entendre un fichier son.

LANCER FRONTPAGE EXPRESS

LANCER FRONTPAGE EXPRESS

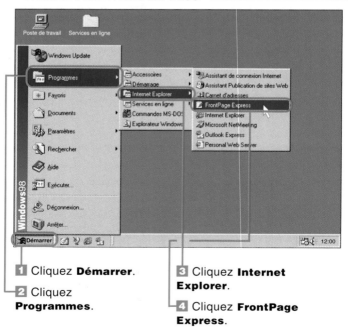

1 Cliquez **Démarrer**.

2 Cliquez **Programmes**.

3 Cliquez **Internet Explorer**.

4 Cliquez **FrontPage Express**.

Vous pouvez lancer
FrontPage Express
pour créer vos
propres pages Web.

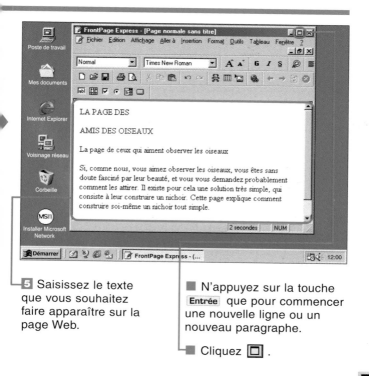

5 Saisissez le texte
que vous souhaitez
faire apparaître sur la
page Web.

■ N'appuyez sur la touche
Entrée que pour commencer
une nouvelle ligne ou un
nouveau paragraphe.

■ Cliquez 🔲 .

ENREGISTRER UNE PAGE WEB

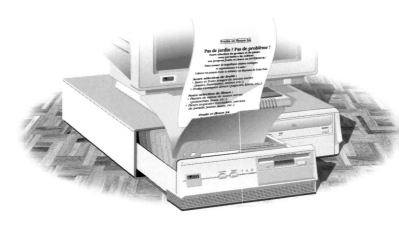

ENREGISTRER UNE PAGE WEB

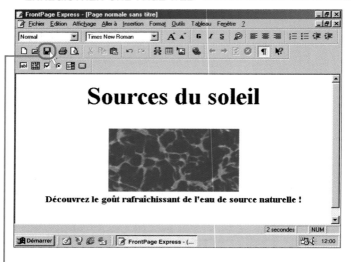

1 Cliquez 🖫 pour enregistrer la page Web.

■ La boîte de dialogue Enregistrer sous apparaît.

Note. Si vous avez déjà enregistré la page Web, la boîte de dialogue Enregistrer sous n'apparaît pas de nouveau.

Quand vous créez une
page Web, vous devez
l'enregistrer pour pouvoir
y accéder de nouveau.
Vous pouvez ensuite la
modifier et la mettre à
jour.

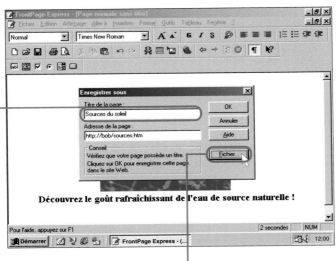

Découvrez le goût rafraîchissant de l'eau de source naturelle !

2 Saisissez un titre
pour la page Web,
décrivant les
informations que vous
souhaitez ajouter.

3 Cliquez **Fichier** pour
enregistrer la page Web
sur votre ordinateur.

■ La boîte de dialogue
Enregistrer en tant que
fichier apparaît.

ENREGISTRER UNE PAGE WEB

Il ne faut pas confondre le titre et le nom de fichier d'une page Web.

Titre

Le titre décrit les informations de la page Web. Il apparaît en haut de l'écran quand vous visualisez la page sous un navigateur Web.

ENREGISTRER UNE PAGE WEB (SUITE)

▌4 Saisissez un nom pour la page Web.

■ Cette zone indique à quel endroit FrontPage enregistrera la page. Vous pouvez cliquer dessus pour changer d'emplacement.

▌5 Cliquez **Enregistrer** pour enregistrer la page Web.

Nom de fichier

Le nom de fichier est le nom attribué à la page Web lors de son enregistrement.

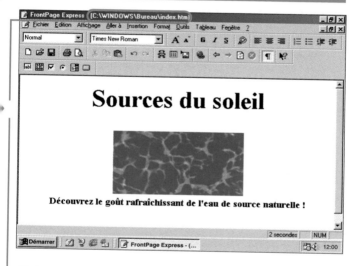

■ Cette zone affiche le nom de la page Web.

■ Enregistrez régulièrement votre page Web pour ne pas risquer de perdre votre travail.

METTRE EN FORME DU TEXTE

Vous pouvez rendre votre page Web plus attrayante en modifiant la présentation du texte.

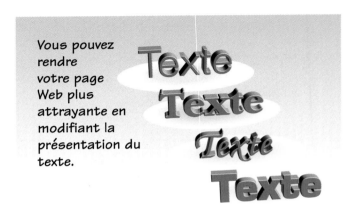

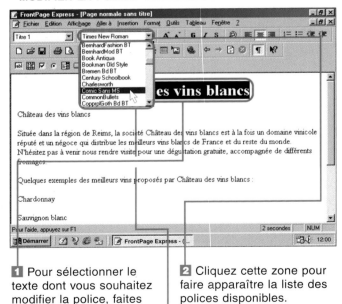

1 Pour sélectionner le texte dont vous souhaitez modifier la police, faites glisser le pointeur I dessus tout en maintenant enfoncé le bouton gauche de la souris.

2 Cliquez cette zone pour faire apparaître la liste des polices disponibles.

3 Cliquez la police que vous souhaitez utiliser.

Note. Pour désélectionner du texte, cliquez hors de la partie sélectionnée.

Vous pouvez augmenter ou diminuer la taille du texte de votre page Web.

MODIFIER TAILLE DU TEXTE

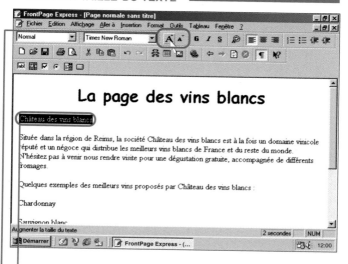

1 Pour sélectionner le texte dont vous souhaitez modifier la taille, faites glisser le pointeur I dessus tout en maintenant enfoncé le bouton gauche de la souris.

2 Cliquez la taille que vous souhaitez utiliser.

A Augmente la taille du texte.

A Diminue la taille du texte.

METTRE EN FORME DU TEXTE

Vous pouvez appliquer du gras, de l'italique ou du souligné au texte de votre page Web pour le faire ressortir.

APPLIQUER DU GRAS, DE L'ITALIQUE OU DU SOULIGNÉ

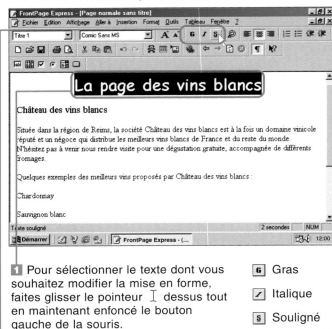

1 Pour sélectionner le texte dont vous souhaitez modifier la mise en forme, faites glisser le pointeur I dessus tout en maintenant enfoncé le bouton gauche de la souris.

2 Cliquez l'option de mise en forme que vous souhaitez utiliser.

G Gras

I Italique

S Souligné

Vous pouvez modifier la couleur du texte de votre page Web.

APPLIQUER DE LA COULEUR

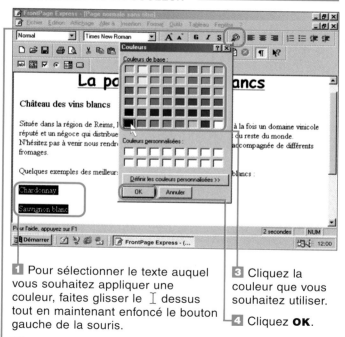

1 Pour sélectionner le texte auquel vous souhaitez appliquer une couleur, faites glisser le I dessus tout en maintenant enfoncé le bouton gauche de la souris.

2 Cliquez 🖉 pour faire apparaître la boîte de dialogue Couleur.

3 Cliquez la couleur que vous souhaitez utiliser.

4 Cliquez **OK**.

211

INSÉRER UNE IMAGE

INSÉRER UNE IMAGE

1 Cliquez à l'endroit où vous souhaitez faire apparaître l'image.

Note. L'image apparaîtra au niveau du point d'insertion qui clignote à l'écran.

2 Cliquez 🖼 pour insérer une image.

■ La boîte de dialogue Image apparaît.

Vous pouvez ajouter des images à votre page Web afin de la rendre plus intéressante et plus attrayante.

Les images portant une extension .gif ou .jpg sont les plus utilisées sur le Web.

Avant d'ajouter des images à une page Web, placez celles-ci dans le dossier dans lequel la page Web est stockée.

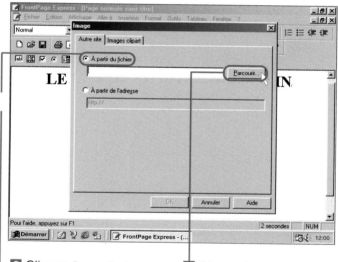

3 Cliquez **A partir du fichier** pour sélectionner une image stockée sur l'ordinateur (○ devient ◉).

4 Cliquez **Parcourir** pour rechercher l'image sur l'ordinateur.

INSÉRER UNE IMAGE

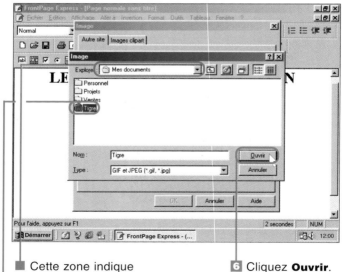

■ Cette zone indique l'emplacement des fichiers affichés. Vous pouvez cliquer dessus pour changer d'emplacement.

5 Cliquez l'image que vous souhaitez ajouter à la page Web.

6 Cliquez **Ouvrir**.

Beaucoup de pages Web diffusent des images qui peuvent être utilisées gratuitement.

Mais vous pouvez également acheter des séries d'images prêtes à l'emploi, appelées clip art, ou numériser vos propres images à l'aide d'un scanner, ou encore créer vos images à l'aide d'un programme de dessin. N'utilisez que des images pour lesquelles vous disposez d'un droit d'utilisation.

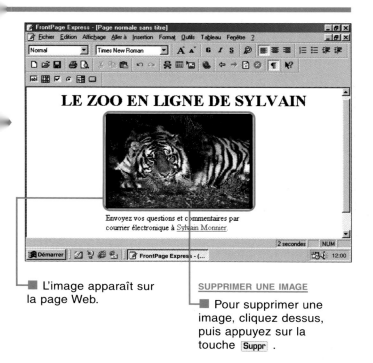

■ L'image apparaît sur la page Web.

SUPPRIMER UNE IMAGE

■ Pour supprimer une image, cliquez dessus, puis appuyez sur la touche Suppr .

AJOUTER UNE IMAGE D'ARRIÈRE-PLAN

AJOUTER UNE IMAGE D'ARRIÈRE-PLAN

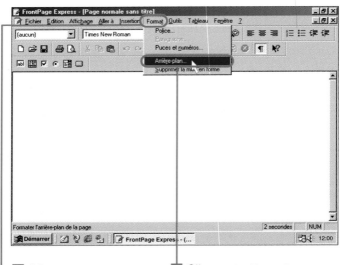

■ Cliquez **Format**.

■ Cliquez **Arrière-plan**.

■ La boîte de dialogue Propriétés de la page apparaît.

Vous pouvez tapisser le
fond de tout une page Web
d'un même motif répété un
grand nombre de fois. Cette
technique permet de doter
les pages Web d'une texture
d'arrière-plan attrayante.

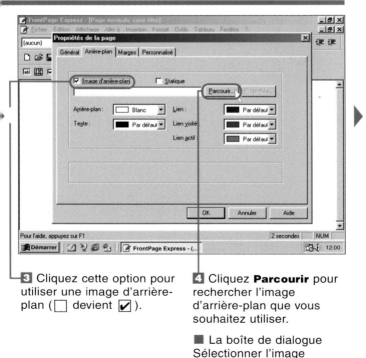

3 Cliquez cette option pour
utiliser une image d'arrière-
plan (☐ devient ☑).

4 Cliquez **Parcourir** pour
rechercher l'image
d'arrière-plan que vous
souhaitez utiliser.

■ La boîte de dialogue
Sélectionner l'image
d'arrière-plan apparaît.

217

AJOUTER UNE IMAGE D'ARRIÈRE-PLAN

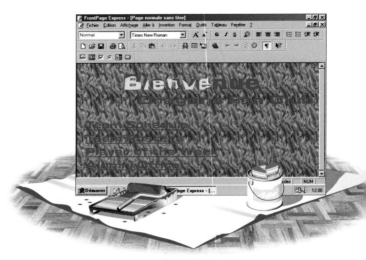

AJOUTER UNE IMAGE D'ARRIÈRE-PLAN (SUITE)

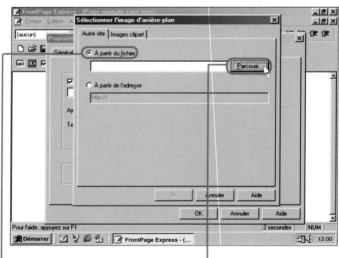

5 Cliquez **À partir du fichier** pour sélectionner une image d'arrière-plan stockée sur l'ordinateur (○ devient ⊙).

6 Cliquez **Parcourir** pour rechercher l'image sur l'ordinateur.

■ La boîte de dialogue Sélectionner l'image d'arrière-plan apparaît.

Choisissez une image qui crée une structure d'arrière-plan intéressante sans surcharger la page Web.

Veillez également à ce que l'image n'entrave pas la lisibilité de la page. Pour rendre la page plus facile à lire, vous pouvez changer la couleur du texte. Pour appliquer une couleur à du texte, consultez la page 210.

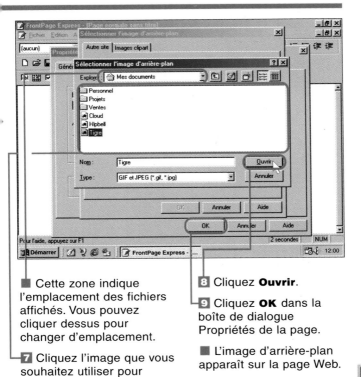

■ Cette zone indique l'emplacement des fichiers affichés. Vous pouvez cliquer dessus pour changer d'emplacement.

-7 Cliquez l'image que vous souhaitez utiliser pour l'arrière-plan.

8 Cliquez **Ouvrir**.

-9 Cliquez **OK** dans la boîte de dialogue Propriétés de la page.

■ L'image d'arrière-plan apparaît sur la page Web.

CRÉER UN LIEN

CRÉER UN LIEN

1 Pour sélectionner le texte que vous souhaitez lier à une autre page Web, faites glisser le pointeur I dessus tout en maintenant enfoncé le bouton gauche de la souris.

■ Pour sélectionner l'image que vous souhaitez lier à une autre page Web, cliquez dessus.

Vous pouvez créer un lien pour connecter un mot, une phrase ou une image à une autre page Web. Ensuite, quand vous sélectionnerez le texte ou l'image, l'autre page Web apparaîtra automatiquement.

Les liens permettent aux utilisateurs d'accéder rapidement à d'autres pages Web en rapport avec le document.

2 Cliquez 🔗 pour créer un lien.

■ La boîte de dialogue Créer un lien apparaît.

CRÉER UN LIEN

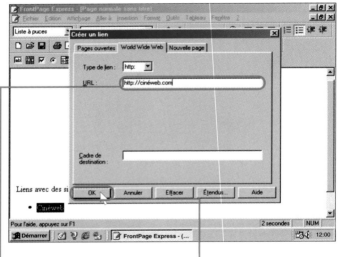

3 Cliquez cette zone, puis saisissez l'adresse de la page Web à laquelle vous souhaitez relier le texte ou l'image.

4 Cliquez **OK** pour créer le lien.

Quand vous saisissez une adresse de page Web ou de courrier électronique, FrontPage Express la convertit automatiquement en lien.

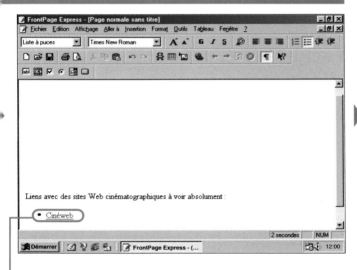

FrontPage Express crée le lien. Les liens textuels apparaissent en couleur et ils sont soulignés.

Note. Pour désélectionner du texte, cliquez hors de la zone sélectionnée.

Quand vous cliquerez le texte ou l'image sous un navigateur Web, la page Web connectée au lien apparaîtra automatiquement.

INDEX

INDEX

COLLECTIONS 3-D Visuel

**Windows 98
c'est simple**

65 0470 8   139 F

**La Micro Plus Fort !
c'est simple**

65 0009 4   139 F

**Excel 97
c'est simple**

65 0394 0   13

**Les pages couleurs
Internet**

65 0388 2   159 F

**Le Dictionnaire
3-D Visuel de la micro**

65 0373 4   129 F

**Windows 95
c'est simple**

65 0333 8   12

**Word 97
c'est simple**

65 0381 7   139 F

**Office 97
c'est simple**

65 0377 5   159 F

**Internet
c'est simple**

65 0360 1   129 F

**Windows Plus fort !
c'est simple**

65 0366 8   129 F

**La Micro
c'est simple**

65 0346 0   129 F

**ET AUSSI !
Windows 98
Plus fort !
c'est simple**

COLLECTIONS 3-D Visuel

APPRENDRE

Apprendre
La Micro et l'Internet

65 0012 8   169 F

Apprendre
Windows 98

65 0000 3   169 F

Apprendre
Les Réseaux

65 0471 6   16

Apprendre
Windows 95

65 0466 6   169 F

Apprendre
Access 97

65 0438 5   169 F

Apprendre
Office 97

65 0467 4   16

Apprendre
Word 97

65 0471 6   169 F

ET AUSSI !
Apprendre
Windows 98
Plus fort !

First
Interactive

MAÎTRISER

**Maîtriser
Windows 98**

0001 1   199 F

**Maîtriser
Windows 95**

65 0437 7   199 F

**Maîtriser
Office 97**

65 0037 ?   199 F

*ET
AUSSI !*
**Maîtriser
Photoshop 5**

**Paroles
d'utilisateurs**

"J'ai maintenant neuf de vos volumes."
Charles, *Canada*

"Pas de bla-bla inutiles : ne changez rien !"
Richard, *Montbéliard*

"Merci, Mister Micro."
Soazig, *Belgique*

"J'aime la progression par étape,
claire et simple."
Patricia, *Amiens*

"Super, le côté illustré et vraiment pédagogique."
Alexandre, *Villiers-sur-Marne*

"Un grand bravo pour le côté visuel."
Laurent, *Lons-Le-Saulnier*

**Windows 98
Poche Visuel**

65 0006 0   69 F

**Windows 95
Poche Visuel**

65 0005 2   69 F

**Word 97
Poche Visuel**

65 0007 8   69 F

**Excel 97
Poche Visuel**

65 0004 5   69 F

**Internet et le Web
Poche Visuel**

65 0023 5   69 F

**Le PC
Poche Visuel**

65 0025 0   69 F

Poche Visuel

Internet et le Web

Pour connaître les nouvelles parutions dans vos collections favorites,
retournez votre **Fiche lecteur** et recevez gratuitement
le catalogue **Livres d'informatique** des éditions **First Interactive**.

A mon avis, ce livre est
❑ Excellent   ❑ Moyen
❑ Satisfaisant   ❑ Insuffisant

Ce que je préfère dans ce livre

Mes suggestions pour l'améliorer

En informatique, je me considère comme
❑ Débutant   ❑ Expérimenté
❑ Initié   ❑ Professionnel

J'utilise l'ordinateur
❑ Au bureau   ❑ A l'école
❑ A la maison   ❑ Autre

J'ai acquis ce livre
❑ En librairie   ❑ Dans une grande surface
❑ Par correspondance   ❑ Autre

Je m'intéresse plus particulièrement aux domaines suivants
❑ Traitement de texte   ❑ Tableur
❑ Base de données   ❑ Graphisme et PAO
❑ Internet et Web   ❑ Communications et réseaux
❑ Langage de programmation   ❑ Formation à l'informatique

Nom
Prénom
Rue
Ville   Code postal
Pays

J'ai vraiment adoré ce livre ! Vous pouvez citer mon
témoignage dans vos documents promotionnels.
Voici mon numéro de téléphone en journée :

Editions First Interactive
13-15, rue Buffon
75005 Paris
France